Annegret Pietron-Menges

SHALOM!

Kommunionkurs

Diese Mappe gehört

Hier kannst du
deinen Namensfisch
einkleben

PATMOS

Text- und Bildnachweis:

S. 7 Leo Lionnie, Swimmy. © Middelhauve Verlags GmbH, München.
S. 11 Hermann-Josef Coenen, Schmunzelgebet. © A. Rotthoff.
S. 23 Irina Korschunow, Ich bin so gemein gewesen. © bei der Autorin.
S. 27 Natalie Oettli, Die Brücke. © bei der Autorin.

S. 49 alle Fotos © Peter Wirtz.

Alle Stundenbilder und Illustrationen von Ivan Gantschev

7. Auflage 2009
Printed in Germany
ISBN 978-3-491-76435-4
www. patmos.de

Inhalt

UNSERE GRUPPENSTUNDEN

Gottesdienst zu Beginn:

Wir versammeln uns im Zeichen des Fisches

Auf dem Wege, den wir gehen

Quelle unbekannt

2. In dem Haus, in dem wir leben,
sollst du sicher sein.
Und ich wünsche Glück und Lachen,
Friede gehe aus und ein.
Refrain

3. In der Freundschaft, die wir halten,
sollst du ehrlich sein.
Und ich wünsche Glück, Vertrauen,
Friede gehe aus und ein.
Refrain

Swimmy

Irgendwo in einer Ecke des Meeres lebte einmal ein Schwarm kleiner, aber glücklicher Fische. Sie waren alle rot. Nur einer von ihnen war schwarz. Schwarz wie die Schale der Miesmuschel. Aber nicht nur in der Farbe unterschied er sich von seinen Schwestern und Brüdern: Er schwamm auch schneller. Sein Name war Swimmy.

Eines schlimmen Tages kam ein Thunfisch in diese Ecke des Meeres gebraust, ein schneller, grimmiger, überaus hungriger Bursche. Der verschlang alle kleinen roten Fische mit einem einzigen Maulaufreißen. Nur ein Fisch entkam ihm. Das war Swimmy. Erschrocken, traurig und einsam wedelte der kleine Swimmy hinaus ins große, große Meer.

Nun ist das Meer aber voller wunderbarer Geschöpfe, die Swimmy in seiner heimatlichen Meeresecke nie gesehen hatte. Als der große Ozean ihm Wunder um Wunder vorführte, wurde er bald wieder so munter wie ein Fisch im Wasser. (Und ein Fisch im Wasser war er ja; wenn auch nur ein kleiner.)

Zuerst sah Swimmy die Meduse, die Qualle. Er fand sie wunderbar. Sie sah aus, als wäre sie aus Glas, und sie schillerte in allen Farben des Regenbogens. Dann sah Swimmy eine Art lebenden Schaufelbagger. Das war der Hummer. Gleich darauf schwammen sehr seltsame Fische an ihm vorbei, leise und gleichmäßig, als ob sie von unsichtbaren Fäden gezogen würden. Dem kleinen, munteren Swimmy waren sie ein bisschen unheimlich. Bald aber war Swimmy wieder heiter. Er durchschwamm einen prächtigen Märchenwald. Einen Wald aus Meeresalgen, die auf bonbonbunten Felsen wuchsen. Swimmy kam aus dem Staunen nicht heraus. Jetzt begegnete er nämlich einem Aal, der ihm unendlich lang erschien.

Als Swimmy endlich wild wedelnd am Kopf des Aales angekommen war, konnte er sich schon nicht mehr an die Schwanzspitze erinnern. Ein Wunder schloss sich an das andere an. Das nächste waren die Seeanemonen. Sie schwangen in der Strömung sanft hin und her, wie rosa Palmen, vom Wind bewegt.

Dann jedoch glaubte Swimmy seinen Augen nicht zu trauen: Er sah einen Schwarm kleiner roter Fische. Hätte er nicht gewusst, dass sein eigener Schwarm verschlungen und verschwunden war: Er hätte die Fische für seine Schwestern und Brüder gehalten.

»Kommt mit ins große Meer!«, rief er ihnen munter zu. »Ich will euch viele Wunder zeigen!« – »Geht nicht«, antworteten die kleinen roten Fische ängstlich. »Dort würden uns die großen Fische fressen! Wir müssen uns im sicheren Felsenschatten halten.«

Die Antwort der kleinen Fische machte Swimmy nachdenklich. Er fand es traurig, dass der Schwarm sich nie ins offene Meer trauen durfte. »Da muss man sich etwas ausdenken!«, dachte er. Und er dachte nach. Er überlegte und überlegte und überlegte. Und endlich hatte er einen Einfall. »Ich hab's!«, rief er fröhlich. »Lasst uns etwas ausprobieren!“

Da Swimmy den kleinen roten Fischen gefiel, befolgten sie seine Anweisungen: Sie bildeten einen Schwarm in einer ganz bestimmten Form. Jedes Fischchen bekam darin seinen Platz zugewiesen. Als der Schwarm diese bestimmte Form angenommen hatte, da war aus den vielen kleinen roten Fischen ein großer Fisch geworden, ein Fisch aus Fischen, ein Riesenfisch. Es fehlte dem Fisch nur das Auge. Also sagte Swimmy: »Ich spiele das Auge!« Dann schwamm er als kleines schwarzes Auge im Schwarm mit.

Jetzt traute sich der Schwarm endlich hinaus ins offene Meer, hinaus in die große Welt der Wunder. Niemand wagte mehr, sie zu belästigen. Im Gegenteil: Selbst die größten Fische nahmen vor dem Schwarm Reißaus.

Und so schwimmen viele kleine rote Fische, getarnt als Riesenfisch, immer noch glücklich durch das Meer und Swimmy fühlt sich in seiner Rolle als wachsames Auge sehr, sehr wohl.

Leo Lionnie

So wie Swimmy die kleinen roten Fische zu einer mutigen und lebendigen Gruppe versammelt hat, so versammelt ihr euch in euren Gruppen. Aber nicht Swimmy leitet und führt euch, sondern Jesus. In seinem Namen versammelt ihr euch. Er möchte euch begleiten und euch mit seiner guten Botschaft und seinen Mutmachgeschichten den Weg weisen.

Der Fisch hat noch eine andere Bedeutung: Als die ersten Christen verfolgt wurden, verabredeten sie ein geheimes Erkennungszeichen: den Fisch. Wenn jemand den Fisch in den Straßenstaub malte, hieß das: Ich glaube an Jesus Christus, den Sohn Gottes, der lebendig ist. Wenn wir uns heute im Zeichen des Fisches versammeln, heißt das: Auch wir gehören dazu. Wir stellen uns in eine Reihe mit den ersten Christen. Wie sie glauben wir an Jesus Christus, der uns nahe ist und uns begleitet.

Gestaltungsvorschlag: Male ein Bild zur Swimmy-Geschichte. Du kannst es mit Buntstiften, Wasserfarben oder Aquarellstiften malen. Du kannst auch nur den Hintergrund mit Wasserfarben oder Aquarellstiften malen. Dann schneidest du die »Figuren« der Geschichte, z.B. Swimmy und die anderen kleinen Fische, aus farbigem Papier aus und ordnest sie auf dem Hintergrund an. Schieb sie so lange hin und her, bis es dir gefällt. Danach klebe sie auf.

1. Wir lernen uns näher kennen – wir sind eine Gruppe

Begrüßungslied

Zuerst schlagt ihr ein paar Takte lang den Rhythmus: auf die Oberschenkel die beiden kurzen Noten (Achtel) und in die Hände die langen Noten (Viertel). Wenn ihr alle den Rhythmus aufgenommen habt, singt ihr dazu das Lied:

Text und Musik: Annegret Pietron-Menges

Schmunzelgebet

Viele Früchte sind in Gottes Obstkorb.
Und eines dieser Früchtchen, das bin ich.

Manche sind wie Stachelbeeren: herb und sauer,
andre zuckersüß wie griechische Rosinen.
Manche sind wie hoch gewachsene Stangenbohnen,
andre rund und mollig wie ein Kürbis.
Manche sind geröstet, braun wie Kaffeebohnen,
andre sind vornehm bleich wie Blumenkohl.

Manche, die sind scharf wie Paprika und Curry,
andre sind zart, verhalten im Aroma.
Manche, die sind spritzig, saftig wie ein Pfirsich,
andre sind trockenes Dörrobst, extra dry.
Manche, die sind kernig, knackig so wie Nüsse,
andre muss man schälen unter Tränen wie die Zwiebeln.

Manche, das sind Alltagsfrüchte wie Kartoffeln,
andre wollen was Besonderes sein: wie Mangos oder Kiwis.
Manche jucken dich und kitzeln wie die Hagebutten,
andre hinterlassen bitteren Nachgeschmack.
Manche, die sind giftig, trotz der schönen Farben,
andre sind wie Medizin: Sie tun ganz einfach gut.

Manche Früchte hängen hoch, schwer zu erreichen,
andre, da muss man unten suchen und sich bücken.
Manche gibt's, die brauchen lange, um zu reifen,
andre sind frühreif – oder werden niemals reif.
Manche, die werden faul schon auf den Bäumen,
oder sie sind hohl von innen: taube Nüsse.

Manche haben eine harte, raue Schale,
doch darunter einen weichen, süßen Kern.
Manche, die sind wirklich ungenießbar:
ganz geschmacklos – oder muffig – oder faul.
Manche sind das Hauptgericht in unserem Leben,
andre eher wie ein Nachtisch: wie Kompott flambiert.

Jede Frucht schmeckt anders: Obst, Gewürz, Gemüse.
Jeder Mensch ist anders: du und ich.

Viele Früchte sind in Gottes Obstkorb.
Und eines dieser Früchtchen, das bin ich.

Herrmann-Josef Coenen

Unser »Gruppendorf«

Gestaltungsvorschlag: Falte aus farbigem quadratischen Faltpapier kleine Häuser (zwei Ecken zur Mitte gefaltet ergeben das Dach), für jedes Gruppenmitglied eines. Klebe sie auf diesem Blatt zu einem »Gruppendorf« zusammen und schreibe deinen eigenen Namen und die Namen der anderen darauf. Wenn du möchtest, kannst du noch Wege zwischen die Häuser malen oder Blumen davor ... Dir fällt bestimmt etwas ein.

2. Ich bin ich – mich gibt es nur einmal

Ich bin ich

Text: Annegret Pietron-Menges
Musik: Volksweise

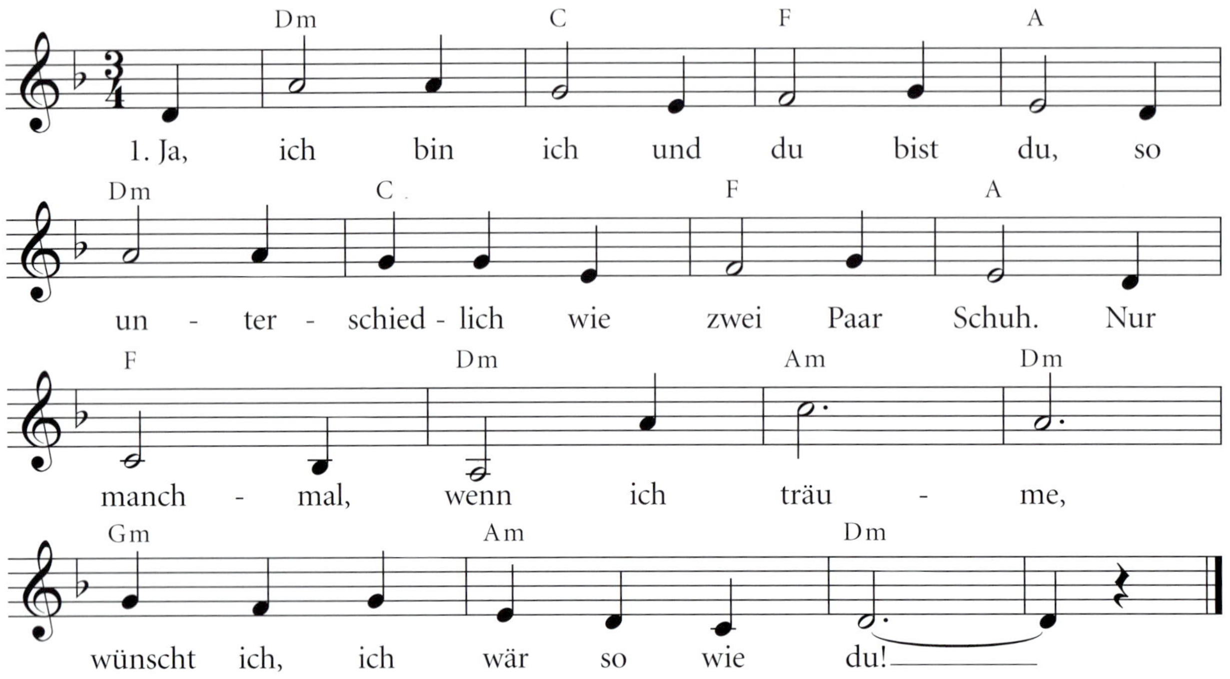

2. So groß und stark, so wortgewandt;
ja, alle wären von mir gebannt.
Und niemand würd es wagen,
mein Wort zu hinterfragen.

3. Doch ich bin ich und du bist du,
so unterschiedlich wie zwei Paar Schuh.
Und so soll es auch bleiben,
wir mögen uns nämlich leiden.

Das Gleichnis von den Talenten (nach Mt 25,14-28)

Ein Mann, der ein großes Vermögen besaß, ging auf Reisen. Er würde lange nicht zu Hause sein. Darum rief er seine drei Diener zu sich und vertraute ihnen sein Vermögen an: Dem einen gab er fünf Talente, dem anderen zwei und dem dritten eines, jedem nach seinen Fähigkeiten. Dann reiste er ab.

Sofort begann der erste Diener mit seinen Talenten zu arbeiten. Er kaufte sich von den fünf Talenten einen Esel und einen Wagen und gründete ein Fuhrunternehmen. Er verdiente viel Geld damit, fünf ganze Talente gewann er hinzu. Auch der zweite Diener setzte seine Talente ein: Er kaufte zwei Schafe. Die bekamen im Frühjahr Lämmer, die er gut verkaufen konnte. Im Frühsommer scherte er seine Schafe und auch die Wolle konnte er für gutes Geld verkaufen. Er gewann zwei Talente hinzu. Aber der dritte Diener vergrub sein Talent in der Erde.

Nach langer Zeit kam der Herr zurück und sagte: »Lasst einmal sehen, was ihr gemacht habt!« Der erste Diener erzählte von seinem Fuhrunternehmen und sagte: »Zu den fünf Talenten habe ich fünf dazu verdient!« und zählte sie auf den Tisch. Der zweite Diener trat vor, zeigte stolz auf seine Schafe und sagte: »Zu den zwei Talenten habe ich zwei dazu verdient!« Da lobte der Herr die beiden Diener: »Das habt ihr gut gemacht. Ihr habt mit dem, was ich euch gegeben habe, etwas angefangen. Ich werde euch zum Lohn große und wichtige Aufgaben übertragen.«

Der dritte Diener kam und gab seinem Herrn das eine Talent wieder: »Hier hast du das Talent zurück. Du bist ein strenger Herr. Ich hatte Angst und habe dein Geld vergraben.« Da wurde der Herr zornig und rief: »Du bist ein schlechter Diener! Du hast nichts geschafft mit dem, was ich dir gegeben habe. Du hast das Geld noch nicht einmal zur Bank getragen, wo es Zinsen gebracht hätte. Wenn man ein Talent bekommt, muss man es auch nutzen und etwas damit machen!« Er nahm dem dritten Diener das Talent weg und gab es dem ersten. Der dritte ging leer aus. Sein Leben war und blieb leer.

Jeder von uns hat besondere Gaben, Fähigkeiten und Talente. Wir sollen sie nutzen und entwickeln. Dann wird unser Leben bunter, reicher und schöner.

Ähnlich erzählt auch Leo Lionnie in der Geschichte »Fisch ist Fisch«, wie ein kleiner Fisch seine besonderen Talente entdeckt. Zunächst beneidet er seinen Freund den Frosch darum, dass er auf dem Land und im Wasser leben kann. Er möchte so sein wie er, springt aus dem Wasser und gerät auf dem Trockenen natürlich in Lebensgefahr. Sein Freund der Frosch steht ihm bei und schubst ihn ins Wasser zurück. Dann erst entdeckt der Fisch, wie schön seine eigene Wasserwelt ist und wie elegant er schwimmen kann.

Ich bin ich – mich gibt es nur einmal

Gestaltungsvorschlag: Hier kannst du ein Foto von dir oder noch besser eine Spiegelfolie einkleben. Schneide aus gelbem Tonpapier viele »Talente« aus – kleine, runde Taler, ca. 2-Euro-Stück groß. Schreibe darauf, was du besonders gut kannst – deine Talente.
Bitte auch deine Eltern, eines deiner Talente zu beschriften. Lass ruhig ein Talent frei; denn in deinem Leben wirst du noch viele verborgene Talente entdecken!

3. Wir leben in Gemeinschaften – jeder ist gleich wichtig

Lasst uns miteinander

Text und Musik: mündlich überliefert

Kanon zu vier Stimmen

Eine gute Gemeinschaft ist wie ein gut ausbalanciertes Mobile, wo jedes Element wichtig ist und seinen Platz hat. Oder wie ein Körper, bei dem ebenfalls jedes Körperteil wichtig ist. So sollte es in deiner Familie sein, in deiner Schulklasse und auch in deiner Gemeinde. Viele Menschen leben dort miteinander. Sie gestalten das Leben der Gemeinde und nehmen daran teil: die Familien, die Kindergruppen, der Küster, der Pfarrer, die Alleinerziehenden und Alleinlebenden, der Organist, die Messdienerinnen und Messdiener, die Lektorinnen und Lektoren, der Kirchenchor ... Vor Gott sind alle gleich wichtig. Das Kindergartenkind ist genauso wichtig wie der Pastor. Ein solches Bild einer guten Gemeinschaft, eines gut ausbalancierten Mobiles hatte der Apostel Paulus vor Augen, als er seiner Gemeinde in Korinth schrieb.

Liebe Gemeinde in Korinth! Ephesus, im Jahr 57

Mir wurde berichtet, dass es Zank und Streit unter euch gibt. Ihr streitet euch darum, wer der Wichtigste ist und wer es zu sagen hat. Was soll denn das? Durch die Taufe gehören wir doch alle zu Christus. Wir bilden eine große Gemeinschaft, in der jeder seinen Platz hat, so wie ein Körper aus vielen Körperteilen besteht und jedes Körperteil seine Aufgabe hat und wichtig ist für das Wohl des Körpers.

Das Auge kann nicht zur Hand sagen: »Ich bin nicht auf dich angewiesen«; der Kopf kann nicht zu den Füßen sagen: »Ich brauche euch nicht.« Auch der kleinste Körperteil ist wichtig, jeder kleine Zeh! Hätten wir ihn nicht – wir würden durch's Leben humpeln. So hat jeder seinen Platz und jeder von uns seine besonderen Gaben: Hat einer die Gabe des Tröstens, so tröste er; hat einer die Gabe, Krankheiten zu heilen, so heile er; hat einer die Gabe zu lehren, so lehre er.

Wenn ihr wieder in Streit geratet, so denkt daran: Wir alle sind gleich vor Gott und jeder empfängt seine Kraft durch Christus, unsern Herrn.

Euer Paulus

Gestaltungsvorschlag: Schreibe einen Brief an deine Gemeinde oder an deine Familie oder vielleicht an deine Klasse. Erzähle ihnen von dem Mobile und was wir davon lernen können.

In der folgenden Geschichte wird noch ein anderes Bild für das gute Zusammenleben einer Gemeinschaft gewählt: ein großes, stolzes Schiff, bei dem selbst die kleinste Schraube wichtig ist.

Die kleine Schraube

Es gab einmal in einem riesigen Schiff eine ganz kleine Schraube, die mit vielen anderen ebenso kleinen Schrauben zwei große Stahlplatten miteinander verband. Diese kleine Schraube fing an, bei der Fahrt mitten im indischen Ozean etwas lockerer zu werden und drohte herauszufallen. Da sagten die nächsten Schrauben zu ihr: »Wenn du herausfällst, dann gehen wir auch.« Und die Nägel unten am Schiffskörper sagten: »Uns wird es auch zu eng, wir lockern uns auch ein wenig.« Als die großen eisernen Rippen das hörten, da riefen sie: »Um Gottes willen, bleibt; denn wenn ihr nicht mehr haltet, dann ist es um uns geschehen!« Und das Gerücht von dem Vorhaben der kleinen Schraube verbreitete sich blitzschnell durch den ganzen riesigen Körper des Schiffes. Er ächzte und erbebte in allen Fugen. Da beschlossen sämtliche Rippen und Platten und Schrauben und auch die kleinsten Nägel, eine gemeinsame Botschaft an die kleine Schraube zu senden, sie möge doch bleiben; denn sonst würde das ganze Schiff bersten und keine von ihnen die Heimat erreichen. Das schmeichelte dem Stolz der kleinen Schraube, dass ihr solch ungeheure Bedeutung beigemessen wurde, und sie ließ sagen, sie wolle sitzen bleiben.

Rudyard Kipling

Bitte deinen Vater oder deine Mutter oder jemanden, den du gut kennst, mit dir die kleine Geschichte zu lesen. Bitte ihn/sie auch, ein eigenes Bildwort für Gemeinde aufzuschreiben, z.B.: »Gemeinde ist für mich wie ein Haus« – und dir das Bildwort zu erklären.

4. »Das habe ich nicht gewollt!« – eine Freundschaft bekommt einen Riss

Dona nobis pacem – Gib uns Frieden

Text und Musik: Volksgut

Kanon zu drei Stimmen

Manchmal gerät ein Mobile aus der Balance. Da verwirren sich die Fäden. Es bewegt sich nicht mehr so schwebend leicht und reibungslos. Auch eine Gemeinschaft oder eine Freundschaft können aus der Balance geraten. Dann ist der Umgang miteinander mühsam und gestört. Was wir sonst leicht dem anderen sagen konnten, kommt uns dann nicht mehr über die Lippen. Zorniges, hilfloses, trauriges Schweigen macht sich breit.

Ich bin so gemein gewesen

Ich heiße Anne. Ich sitze in der Schule neben Carola. Früher war sie meine Freundin. Wir haben uns fast jeden Nachmittag getroffen; bei ihr zu Hause oder bei mir. Am liebsten haben wir Theater gespielt. Wir hatten einen großen Karton mit Kram zum Verkleiden und manchmal waren unsere Mütter zum Zugucken da. Aber das ist jetzt alles vorbei, bloß wegen der blöden Brille. Und weil ich so gemein war.

Die Brille hat Carola vor zwei Wochen bekommen. Sie wollte sie nicht aufsetzen. Sie hat geweint, und ich habe gesagt, dass sie sich nicht anstellen soll. »So viele Menschen tragen eine Brille«, habe ich gesagt. »Sogar der Rudi Carrell! Das ist doch wirklich nichts Besonderes.«

Aber als Carola mit der Brille in die Schule kam, hat Udo Hoffmann »Brillenschlange« hinter ihr hergerufen. Dieser eklige Kerl! Carola hat gleich wieder geheult, und seitdem war sie in der Schule ganz anders als früher. Sie redete kaum noch. Sie hat sich auch nicht mehr gemeldet. Sie saß da und guckte auf den Tisch, sonst nichts. Nur nachmittags beim Theaterspielen war sie manchmal so lustig wie früher. Bis zum vorigen Dienstag. Am Dienstag wollten wir bei mir zu Hause »Die Prinzessin und der Schweinehirt« spielen. Ich hatte ein altes Nachthemd von meiner Mutter bekommen, oben und an den Ärmeln mit Spitzen.

»Das ziehe ich als Prinzessin an«, sagte ich. »Nein, ich«, sagte Carola. »Du warst schon so oft Prinzessin.« »Nicht öfter als du«, sagte ich, und plötzlich wurde Carola wütend. Das war noch nie passiert. »Du willst immer Recht haben«, schrie sie mich an. Da fing ich auch an zu schreien. »Das Nachthemd gehört mir!«, schrie ich. »Dann spiel doch allein mit deinem blöden Nachthemd. Du denkst wohl, mit mir kannst du alles machen!«, schrie Carola, und weil ich das so ungerecht fand und weil ich Carola eins auswischen wollte, schrie ich: »Hau doch ab, du Brillenschlange.«

Ich weiß noch, was für einen Schreck ich bekam, als mir das Wort herausrutschte. Am liebsten hätte ich es gleich zurückgeholt. Aber gesagt ist gesagt. Carola starrte mich an. Sie war ganz still. Sie nahm ihre Sachen und ging. Und nun redet sie nicht mehr mit mir. Sie guckt an mir vorbei, als ob ich nicht da bin.

Ich möchte ihr gern etwas sagen. »Ich war so gemein. Ich will es nie mehr tun. Vertrag dich wieder mit mir.« Doch wenn ich mit Carola reden will, dreht sie sich um und geht.

Irina Korschunow

»Das habe ich nicht gewollt! – Lass uns wieder Theater spielen!«

Gestaltungsvorschlag: Male den Clown bunt und schreibe ihm auf den Bauch, wie Anne sich fühlt und warum sie sich wieder vertragen möchte.

5. Schritte der Versöhnung

Helle Farben hat dein Licht

Text und Musik: Quelle unbekannt
Bearbeitung: Maria und Martin Schwedhelm

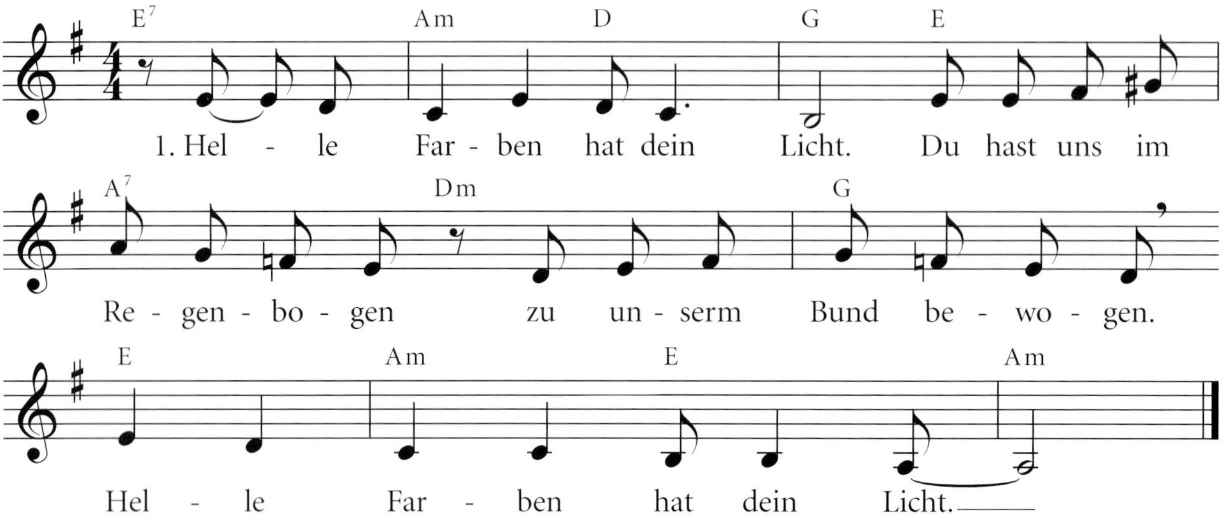

2. Sieben Farben hat dein Licht:
schöpferische Kraft, Ver-
gebung, Treue, Gerechtigkeit.
Sieben Farben hat dein Licht.

3. Sieben Farben hat dein Licht:
Glaube, Hoffnung,
Liebe.
Sieben Farben hat dein Licht.

4. Viele Farben hat dein Licht.
Erleuchte unsere Zukunft,
damit wir farbig leben.
Viele Farben hat dein Licht.

5. Viele Farben hat dein Licht.
Lehr uns, dich zu verstehen
und deine Farben sehen.
Viele Farben hat dein Licht.

Die Brücke

Max und Peter waren Schüler der dritten Klasse. Sie wohnten einander gegenüber in derselben Straße einer kleinen Stadt. Früher waren sie dicke Freunde gewesen; dann war es aus einem unerfindlichen Grund zum Streit gekommen und sie hatten begonnen, einander wie böse Feinde zu hassen.

Lief Max aus dem Tor seines Hofes, so schrie er über die Straße: »He, du Dummkopf!« Und er zeigte dem früheren Freund die Faust. Und Peter gab zurück: »Wie viele solcher Mistkäfer, wie du einer bist, gehen wohl auf ein Kilo?« Dabei drohte auch er mit der Faust.

Ihre Schulkameraden versuchten mehrmals, die beiden zu versöhnen, aber alle Mühe war umsonst: Sie waren richtige Starrköpfe. Schließlich fingen sie an, einander mit Schmutzklumpen zu bewerfen.

Einmal regnete es besonders stark. Dann verzogen sich die Wolken und die Sonne zeigte sich wieder, aber die Straße stand unter Wasser. Wer sie überqueren wollte, tastete mit dem Fuß ängstlich nach der Tiefe des Wassers und wich wieder zurück.

Max trat aus dem Haus, blieb beim Hoftor stehen und schaute mit Vergnügen um sich: Alles war so sauber und frisch nach dem Regen und glänzte in der Sonne. Plötzlich aber verfinsterte sich sein Gesicht. Er sah seinen Feind Peter am jenseitigen Hoftor stehen. Und er sah auch, dass Peter einen großen Stein in der Hand hielt.

So, so, dachte sich Max, du willst also einen Stein nach mir werfen. Nun gut, das kann ich auch! Er lief wieder in den Hof zurück, suchte und fand einen Ziegel und lief wieder auf die Straße, zur Abwehr bereit.

Doch Peter warf den Stein nicht nach dem Feind. Er kauerte sich an den Straßenrand und legte ihn behutsam ins Wasser. Dann prüfte er mit dem Fuß, ob der Stein wackle, und verschwand wieder. Der Stein sah wie eine kleine Insel aus. Ach so, sagte sich Max. Das kann ich auch. Und er legte seinen Ziegel ebenfalls ins Wasser.

Peter schleppte schon einen zweiten Stein herbei. Vorsichtig trat er auf den ersten und senkte den zweiten ins Wasser, in einer Linie mit dem Ziegel seines Feindes. Dann holte Max drei Ziegelsteine auf einmal. So bauten sie einen Übergang über die Straße. Leute standen zu beiden Seiten: Sie schauten den Knaben zu und warteten. Schließlich blieb nur ein Schritt zwischen dem letzten Ziegel und dem letzten Stein. Die Knaben standen einander gegenüber. Seit langer Zeit blickten sie sich zum ersten Mal wieder in die Augen, und Max sagte:

»Ich habe eine Schildkröte. Sie lebt bei uns im Hof. Willst du sie sehen?«

Natalie Oettli

Versöhnung ist wie eine Brücke, die zwei Menschen aufeinander zu bauen. Viele Steine, viele Schritte sind nötig, um die Brücke zu bauen. Ein erstes Lächeln nach einem Streit kann so ein Versöhnungsschritt sein, oder ein kleines Geschenk, oder ... Dir fällt bestimmt noch viel ein. Vielleicht erinnerst du dich auch daran, was dir nach einem Streit gut getan hat oder dir geholfen hat, einen Konflikt zu lösen.

Ich möchte eine Brücke bauen

Ich möchte eine Brücke bauen,
bunt wie ein Regenbogen,
eine Brücke aus Vertrauen,
zwischen uns gewoben.

Guter Gott, ich bitte dich, hilf mit beim Brückenbaun,
so dass die Brücke trägt und hält, wenn wir uns drüber traun.

Ich möchte eine Leiter finden,
bunt wie ein Regenbogen,
und damit Mauern überwinden,
die wir selbst hochgezogen.

Guter Gott, ich bitte dich, halte meine Leiter;
denn ohne Hilfe fürcht ich mich, und so trau ich mich weiter.

Ich möchte einen Schlüssel finden,
bunt wie ein Regenbogen
und damit Sperren überwinden,
die wir selbst gezogen.

Guter Gott, ich bitte dich, gib mir Mut und Kraft,
und flüster mir das Passwort zu, das wieder Frieden schafft.

Annegret Pietron-Menges

Vater im Himmel,
ich brauche mich nicht zu fürchten
vor dem Dunkel der Nacht
und den Ängsten des Tages;
denn du hast deinen Engeln befohlen,
mich zu behüten auf all meinen Wegen.

Vater im Himmel,
Streit und Unfriede bedrücken uns, machen uns unglücklich und böse. Wenn wir mit unserem besten Freund oder unserer besten Freundin Streit haben, ist es besonders schlimm.
Dann ist es, als ob eine hohe Mauer zwischen uns wächst, über die wir
nicht klettern können, und wir möchten doch so gern hinüber.
Denn mit niemand anderem können wir so gut spielen,
mit niemand anderem so bunte Träume spinnen.
Dann sehnen wir uns nach Frieden.
Schenk uns deinen Frieden.

Guter Gott,
segne und behüte mich,
an diesem Morgen und jeden Tag.

Jesus!
Ich hatte heute eine richtige Wut.
Ich weiß, es war nicht in Ordnung.
Entschuldige. Ich möchte versuchen,
mich zu bessern. Und du bleibst
mein Freund, okay?

Vater im Himmel,
es ist so schwer, an dich zu glauben.
Ich möchte dich so gern einmal berühren
und mich so richtig in deine Arme kuscheln.
Melde dich bitte!

Die Nacht bricht an
über Stadt und Feld.
Gott, segne die Erde,
behüte die Welt.

Schritte der Versöhnung

Gestaltungsvorschlag: Klebe hier deinen Fußumriss auf, den du in der Gruppenstunde ausgeschnitten und beschriftet hast.

6. Manchmal kann ich es nicht mehr gutmachen. Und was dann?

Wir bringen Frieden für alle

Text und Musik: aus Israel

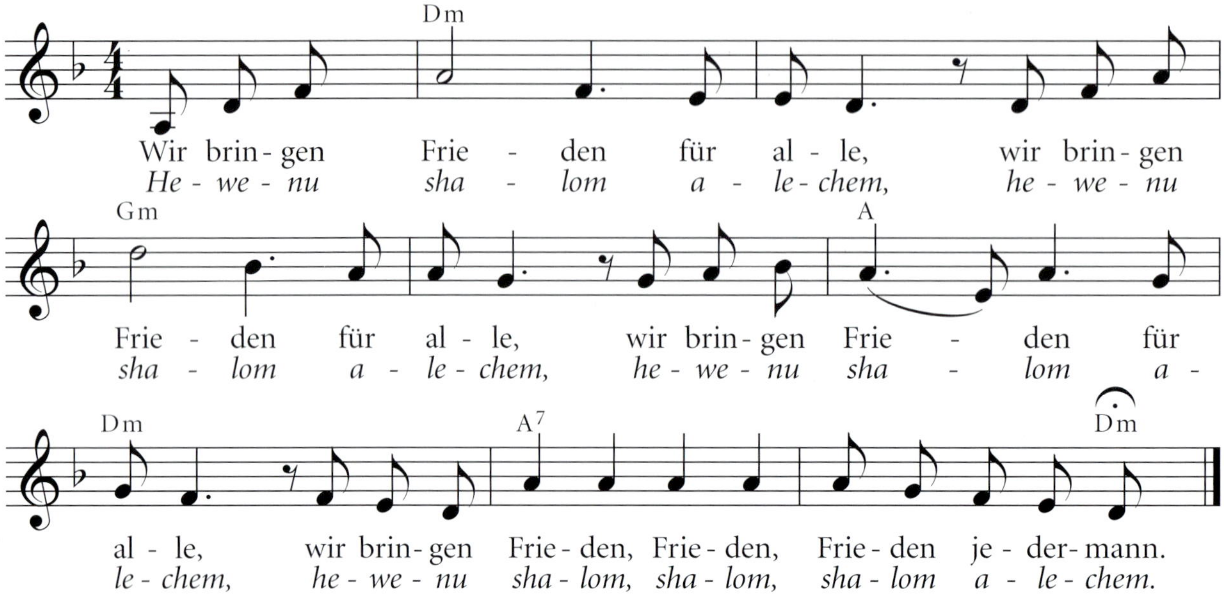

Shalom chaverim

Text und Musik: aus Israel

Kanon zu vier Stimmen

shalom = Frieden; chaverim = Kameraden, Freunde; Lehitraot = Auf Wiedersehen

Manchmal kann ich es nicht wieder gutmachen – und was dann? ...
Du hast vielleicht schon erlebt, dass einem Kind aus deiner Klasse die Schultasche weggenommen und damit herumgeworfen wurde. Auch Rolf Krenzer erzählt in der Geschichte »Nur ein bisschen Fußballspielen?« davon: Jens, einem kleinen Schüler, wird von ein paar Großen, darunter Martin, die Schultasche weggerissen. Sie spielen mit der Tasche Fußball, ohne auf die verzweifelten Rufe von Jens und den anderen »Kleinen« zu achten. Martin erfährt beim Abendessen von seiner Schwester, dass in der Tasche Jens' Goldhamster war, den die großen Jungen bei ihrem groben Fußballspiel – ohne es zu wissen – totgetreten haben. Martin kann das, was er getan hat, nicht wieder rückgängig machen. Aber es tut ihm so Leid, dass er einen neuen Hamster kauft und Jens um Verzeihung bittet. Zwischen den beiden kann nun etwas Neues, Versöhnliches wachsen.

So ähnlich wie Martin erging es einem der besten Freunde Jesu, dem Apostel Petrus:

Jesus wird von Petrus verraten (nach Matthäus 26,34-35 und 69-75)

Am Abend seiner Verhaftung, nach dem letzten Abendmahl, sagte Jesus zu Petrus: »In dieser Nacht, noch ehe der Hahn kräht, wirst du mich dreimal verraten.« Da sagte Petrus zu ihm: »Und wenn ich mit dir sterben müsste – ich würde dich niemals verraten!« Jesus wurde wenig später verhaftet und im Palast des Hohenpriesters Kajaphas verhört. Petrus aber war ihm gefolgt und saß voller Unruhe und Angst draußen im Hof.
Da zeigte eine Frau auf ihn und sagte: »Ich erkenne dich! Auch du warst mit Jesus, der hier gerade verhört wird, zusammen.« Petrus schrak aus seinen Gedanken hoch und sagte: »Ich weiß nicht, wovon du redest.« Er stand auf, um aus dem Hof hinauszugehen. Da sagte eine andere Frau zu allen anderen, die im Hof waren: »Doch! Ich erinnere mich auch genau. Ich habe ihn schon oft mit Jesus zusammen gesehen. Er gehört auch zu seinen Freunden!« Wieder sagte Petrus: »Nein, ich kenne den Mann überhaupt nicht!« Die Leute kamen zusammen und scharten sich um Petrus und sagten: »Na klar gehörst du zu den Leuten um Jesus. Deine Sprache verrät dich ja schon! So wie du sprechen nur Leute aus Galiläa.« Aber Petrus hob seine Hand zum Schwur und sagte: »Ich schwöre, dass ich diesen Mann nicht kenne.« Gleich darauf krähte ein Hahn und Petrus erinnerte sich an das, was Jesus gesagt hatte: Ehe der Hahn kräht, wirst du mich dreimal verleugnen. Da ging Petrus aus dem Hof und weinte bitterlich.

Auch Petrus hat eine große Schuld auf sich geladen. Wie Martin bereut er seine Tat und tut nach dem Tod Jesu alles dafür, dass Jesu Botschaft weitererzählt wird. So wird auch ihm vergeben.

Vater im Himmel!
Es tut gut zu wissen, dass wir immer neu anfangen können.
Sogar wenn wir vor einem Scherbenhaufen stehen
und die Scherben nicht mehr zusammenkleben können –
immer gibt es einen Weg,
dass auf den Scherben Neues wachsen kann.
Amen.

Der Hahn auf diesem Bild erinnert dich an die Geschichte des Petrus. Als der Hahn krähte, wurde Petrus bewusst, dass er seinen Freund Jesus verraten hatte. Der Hahn soll auch dich daran erinnern, dass du vielleicht einmal eine Freundschaft verraten hast oder selber enttäuscht wurdest.

Gestaltungsvorschlag: Male dem Hahn ein buntes Federkleid. Nimm die Farben, die du in deinem Leben findest: Rot für die Liebe, Gelb für die Fröhlichkeit, Orange für die Wärme, Grün für die Hoffnung, Blau für deine Träume und ein bisschen Schwarz für deine Traurigkeiten.

Eine tolle Idee: Feuchte eine Tonscherbe gut an. Lege sie auf einen Unterteller, in dem ein wenig Wasser steht. Säe Kresse auf die Scherbe und bedecke den Teller mit Klarsichtfolie. Du wirst sehen: Selbst auf Scherben kann noch etwas wachsen.

7. Der barmherzige Vater – Gott schenkt Vergebung

Gottes Wort ist wie ein Licht in der Nacht

Text und Musik: aus Israel

Kanon zu zwei Stimmen

Das Gleichnis vom guten Vater

Gestaltungsvorschlag: Wie geht wohl die Geschichte aus? Wer sitzt mit am Tisch? Male die letzte Szene!

Das Gleichnis vom guten Vater (nach Lukas 15,11–21)

Ein Bauer hatte zwei Söhne. Sie arbeiteten zusammen auf den Feldern, trieben das Vieh zur Weide, verkauften die Milch ihrer Tiere, die Wolle der Schafe ... kurz, es ging ihnen gut. Aber es war klar, dass der ältere Sohn den Hof erben würde und der jüngere nur einen Teil des Vermögens bekommen würde. So stand es im Gesetz. Der Hof selbst konnte nicht zwei große Familien ernähren.

Also wollte der jüngere Sohn sein Glück versuchen und ins Ausland gehen. So bat er den Vater, ihm sein Erbteil auszuzahlen. Der Vater verstand seinen Wunsch, frei zu sein und sein Leben selbst bestimmen zu können. Er gab ihm das Geld und ließ ihn gehen. Er schaute ihm noch lange nach.

In der Fremde geriet der Sohn in schlechte Gesellschaft. Vielleicht war er zu jung, um echte Freunde von falschen zu unterscheiden. Vielleicht wollte er auch endlich einmal »richtig leben«, in Saus und Braus, gut essen, gut trinken und viele Freunde haben, die auf seine Kosten lebten. Jedenfalls schmolz sein Geld wie Butter in der Sonne. Als er nichts mehr hatte, fand er sich allein wieder. Seine »Freunde«, die ihn umschwärmt hatten, waren verschwunden. Eine große Hungersnot kam über das Land und es herrschte große Not. Er brauchte Arbeit, um zu überleben. Und so ging er zu einem Mann, der einen Schweinehirt suchte. Schweinehüten – das war das Schlimmste, was einem Mann jüdischen Glaubens passieren konnte; denn Schweine galten als unrein. Durch die Arbeit wurde man selbst unrein und stand außerhalb der Gemeinschaft. Der Sohn wusste das. Aber der Hunger war größer – nur satt wurde er auch hier nicht. Sein Herr war hart und unmenschlich. Die Schweine waren ihm wichtiger. Die Tiere sollten immer satt zu fressen haben. Er durfte sich noch nicht einmal von dem Schweinefutter nehmen.

Seine Not wurde so groß, dass er an eine Rückkehr nach Hause dachte »Selbst der geringste Tagelöhner meines Vaters hat immer genug zu essen«, sagte er sich. »Ehe dass ich hier vor die Hunde gehe, kehre ich nach Hause zurück. Es fällt mir schwer; denn ich habe mein Leben verpfuscht und nichts aus meinem Erbteil gemacht. Es ist meine Schuld, dass es mir so dreckig geht. Ich werde meinen Vater um eine Tagelöhnerstelle bitten; denn mein Erbteil und damit das Recht, als Sohn behandelt zu werden, habe ich verschleudert.«

So machte er sich auf den Rückweg. Von weitem sah ihn der Vater schon kommen. Er ließ alles stehen und liegen und rannte seinem Sohn entgegen. Er ließ ihn kaum zu Wort kommen, umarmte und küsste ihn. Dann sagte aber sein Sohn: »Vater, ich habe Unrecht getan. Ich habe all mein Geld verprasst. Ich habe Gott vergessen und Schweine gehütet. Ein guter Sohn bin ich nicht mehr, überhaupt nicht mehr dein Sohn.«

So wie der heimgekehrte Sohn können wir auch zu Gott, unserem Vater im Himmel, beten:

Vater im Himmel,
ich habe Unrecht getan.
Es bedrückt mich,
es liegt mir manchmal wie ein Stein im Magen.
Ich möchte es wieder gutmachen.
Hilf mir dabei und vergib mir. Amen.

Das Gleichnis vom guten Vater, Teil II (nach Lukas 15, 22–32)

Der Vater aber rief seine Knechte und sagte: »Gebt ihm das beste Kleid!« Die Knechte wussten: So ein Kleid durften nur die Söhne des Hauses tragen. Sie holten auch den Ring auf Geheiß des Vaters und wussten, wer den Ring trägt, darf im Haus befehlen wie der Herr. Sie holten dem zerlumpten Heimkehrer auch Schuhe, das Zeichen eines freien Mannes. Sie wunderten sich sehr. Aber sie machten alles, was ihr Herr befahl. Sie schlachteten sogar das Mastkalb, das für hohen Besuch gedacht war, und bereiteten ein Fest vor.

Als der ältere Sohn von der Feldarbeit heimkehrte, hörte er die Musik und roch das gute Essen. Er hörte, dass sein Bruder zurückgekommen war und der Vater ein großes Fest für ihn feiern wollte. Da wurde er wütend und wollte nicht hineingehen. Doch da kam der Vater heraus und redete mit ihm. Die ganze Enttäuschung und der Zorn brachen aus dem Sohn heraus: »In all den Jahren hast du mir nicht einen einzigen Ziegenbock gegeben – einen guten Braten, um mit meinen Freunden zu feiern, und jetzt kommt der da. Das ganze Geld hat er durchgebracht. Arm wie ein Bettler kommt er nach Hause. Und für ihn lässt du das Kalb braten. Das ist einfach nicht gerecht!«

Langsam legte der Vater seinen Arm um die Schultern seines Sohnes und sagte: »Weißt du nicht, wie lieb ich dich habe? Du bist mein Sohn – wie dein Bruder. Versteh doch, dass ich glücklich bin. Dein Bruder war wie tot, und jetzt ist er wieder da; nicht so wie vorher, aber er ist dein Bruder. Komm, gib dir einen Ruck. Feier mit uns!«

Etwas Süßes für euer Versöhnungsfest:
Schokoladenflocken
Du brauchst: ca. 7 Esslöffel Cornflakes, 200 g Schokolade
Zerkleinere die Schokolade und schmelze sie im Wasserbad. Dann lässt du sie etwas abkühlen. Aber nicht zu hart werden lassen! Schütte nun die Cornflakes hinein und rühre mit einem Löffel, bis alle Cornflakes mit Schokolade überzogen sind. Form nun mit zwei Löffelchen kleine Häufchen auf einem Teller und lass sie abkühlen. Fertig!!

8. »Einer hat uns angesteckt« - die Berufung der Jünger

Einer hat uns angesteckt

Text: Eckart Bücken
Musik: Oskar Gottlieb Blarr
aus: Lateinamerikanische Beatmesse, 1977

2. Wer die Armut kennt, wird im Reichtum leben.
Wer von Herzen brennt, kann sich andern geben.

3. Wer betroffen ist, wird das Wort neu sagen.
Wer sich selbst vergißt, kann auch Lasten tragen.

Das Märchen vom Licht

Es war einmal ein König. Er war schon sehr alt und er spürte sein Alter. »Es ist an der Zeit, die Regierung meines Landes einem meiner beiden Söhne zu übergeben«, dachte er. »Aber wem? Ich liebe sie beide. Wer von ihnen kann wohl am besten für mein Volk sorgen und weiß, was die Menschen brauchen?« Der alte König hatte viele schlaflose Nächte, bis er endlich eine Lösung fand. Er rief seine beiden Söhne zu sich, gab jedem fünf Silberstücke und sagte: »Ihr sollt eine Aufgabe lösen. Einen Tag habt ihr dafür Zeit: Wer bis zum Abend den großen Festsaal unseres Schlosses füllt, wird mein Nachfolger und König über das Land. Womit ihr den Saal füllt – das ist eure Sache. Aber überlegt gut, wofür ihr die fünf Silberstücke einsetzt!«

Die beiden Söhne verließen das Schloss und machten sich auf den Weg. Jeder ging in eine andere Richtung. Der älteste Sohn kam schon bald an einen Platz, wo das Korn gedroschen wurde. Riesige Mengen von leerem Stroh türmten sich schon auf der einen Seite des Platzes. Auf der anderen Seite wurde das ausgedroschene Korn in Säcke gefüllt. Der Sohn sah das Stroh und dachte: »Das ist die Gelegenheit. Mit diesem Zeug kann ich schnell und billig den Festsaal füllen lassen.« Mit den Dreschern wurde er schnell einig. Für fünf Silberstücke würden sie den großen Festsaal mit Stroh füllen. Schon am Nachmittag war die Arbeit getan. Da ging der Sohn zu seinem Vater und sagte: »Ich habe meine Aufgabe erfüllt. Wir brauchen gar nicht mehr länger zu warten. Mach mich zu deinem Nachfolger!«

Der Vater aber sagte: »Es ist noch nicht Abend. Ich werde warten.« Der Nachmittag ging vorüber. Der König wartete. Als die Schatten allmählich länger wurden, kam der jüngere Sohn. Er bat darum, das Stroh aus dem Saal zu entfernen. Als sich die Dämmerung über das Land senkte und es Abend wurde, war der Saal leer. Da ging der jüngere Sohn in die Mitte des Saales, beugte sich nieder und stellte eine Kerze auf den Boden – eine einzige Kerze. Er zündete sie an, und ihr Schein breitete sich aus und erfüllte den ganzen großen Festsaal des Schlosses bis hoch zum Dach hinauf.

»Du sollst mein Nachfolger sein!«, rief der König. »Dein Bruder hat fünf Silberstücke ausgegeben, um diesen Saal mit wertlosem Stroh zu füllen. Aber du hast noch nicht einmal ein Silberstück gebraucht, um den Saal mit Licht zu füllen – mit dem, was die Menschen am meisten brauchen.«

Die Halle der Welt mit Licht füllen,
ein philippinisches Märchen – neu erzählt

Licht ist lebensnotwendig. Ein Licht allein ist allerdings recht schwach. Es ist besser, viele Lichter anzuzünden. Dann sehen wir klarer. Jesus blieb kein »einsames Licht«, als er durch das Land zog und von der Liebe Gottes erzählte. Er hatte eine große Ausstrahlung. Von ihm ging eine Kraft aus, die viele Menschen anzog. Einige, wie zum Beispiel seine Jünger, waren so begeistert von ihm, dass sie alles stehen und liegen ließen, um ihm zu folgen. Sie ließen sich von seiner guten Botschaft »anstecken«; sie ließen sich anziehen von seiner Kraft.

Ein kleines Experiment: Du kannst dir die anziehende Kraft Jesu auch so deutlich machen. Du brauchst einen Magneten, Nadeln, eine Pappe und evtl. ein paar Streichhölzer oder Plastiknadeln.
Schütte die Nadeln auf die Pappe. Wenn du mit dem Magneten in ihre Nähe kommst, richten sich die Nadeln nach ihm aus und werden von ihm angezogen. Wenn du Streichhölzer oder Plastiknadeln unter die Metallnadeln mischst, siehst du, dass die Streichhölzer nicht angezogen werden – so wie es auch Menschen gibt, denen Jesu Botschaft nichts bedeutet.

Jesus und seine Botschaft haben bis heute nichts von ihrer Anziehungskraft verloren, obwohl wir ihn nicht mehr sehen und berühren können.
Auch das kannst du dir mit dem Magneten und den Nadeln deutlich machen:
Schütte die Nadeln auf die Pappe und führe den Magneten unter der Pappe her. Du siehst, die Nadeln richten sich aus und werden von dem Magneten angezogen, von unsichtbarer Kraft.

Gestaltungsvorschlag: Male dieses Blatt mit einem Wachsmaler ganz gelb. Male mit einem blauen Wachsmaler darüber. So kannst du es »dunkel« werden lassen. Kratze dann die blaue Farbe an einigen Stellen wieder ab, so dass die gelbe Farbe wieder sichtbar wird – so kannst du in die dunkle Welt Licht bringen.

9. Wasser des Lebens – durch die Taufe gehören wir zu Jesus

Das Lied vom Brunnen, der raunt

Text und Musik:
Annegret Pietron-Menges

2. Wenn ich in meinen Brunnen schau, seh ich viele Bilder:
sprühende Tropfen, spielende Kinder,
lachende Frauen, Menschen, die reden.
Und mein Brunnen raunt mir zu: Wasser ist Leben,
dich muss es geben, du bist ein Segen.
Du bist Leben, dich muss es geben,
Du bist ein Segen.

Der . . . . . . kreislauf

. . . . .

. . . .

. . . . .

. . . . .

. . . . . .

. . . .

Beschrifte die sechs kleinen Bilder. Trage die Buchstaben aus den umrandeten Kästchen der Reihe nach oben in die Überschrift ein. Wie heißt das Lösungswort? Übrigens, etwas Wichtiges fehlt in diesem Kreislauf. Was ist es?

Jesus am Jakobsbrunnen (nach Johannes 4,5 – 15)

Eines Tages wanderte Jesus mit seinen Jüngern durch Samaria, ein Gebiet Israels. Es war ein heißer Tag; die Luft schien zu flimmern, alles war mit Staub bedeckt. Auch Jesus war es heiß, seine Füße brannten, sein Mund war wie ausgetrocknet. Da kamen sie an einen Brunnen. Er lag in der Nähe eines Dorfes. Den Brunnen nannte man Jakobsbrunnen. Jesus war sehr erschöpft. Er sagte zu seinen Jüngern: »Geht in das Dorf und kauft etwas zu essen. Ich muss ein bisschen Ruhe finden, hier am Brunnen.«

Hier kannst du deinen persönlichen Regentropfen einkleben.

Die Jünger kannten das schon. Jesus zog sich öfters zurück, um Ruhe zu finden und zu beten. Sie gingen zum Dorf und Jesus setzte sich auf den Brunnenrand. Er atmete die kühle Frische ein und schöpfte Kraft aus der Ruhe.

Da kamen aus dem Dorf Kinder herbei; ein Fremder, das war immer eine spannende Sache. Vielleicht konnte der etwas Neues erzählen? Ein Kind lachte ihn an. Das tat Jesus sehr gut. Ein anderes Kind tippte ihn an und fragte ihn: »Eh, du, wie heißt du?« Jesus mochte Kinder sehr gern. Er lächelte und sagte: »Hallo, ich heiße Jesus. Meine Freunde sind zum Dorf gegangen, um etwas zu essen zu kaufen. Aber ich war einfach zu müde und zu durstig, um noch mitzugehen.« Da sagte eines der Kinder: »Gleich kommt meine Mutter zum Wasserholen. Die gibt dir bestimmt etwas zu trinken; denn du hast ja gar keinen Schöpfeimer dabei.«

Da kam die Mutter auch schon. Sie trug einen Krug, um damit Wasser zu schöpfen. Jesus stand auf, begrüßte sie und sagte: »Gib mir bitte zu trinken.«

Die Frau schaute Jesus an und sagte: »Du weißt, dass ich eine Samariterin bin. Deine Leute und meine Leute wollen nichts miteinander zu tun haben. Und da bittest du mich um Wasser?« – »Ach«, sagte Jesus, »findest du das so wichtig? Wenn du wüsstest, wer ich bin, dann hättest du zu mir gesagt: Bitte, gib mir zu trinken. Ich hätte dir lebendiges Wasser gegeben.«

Die Frau wunderte sich: »Du hast noch nicht einmal einen Krug, um Wasser zu schöpfen; und der Brunnen ist tief. Wie willst du mir lebendiges Wasser geben?!« Jesus antwortete ihr: »Wenn du aus diesem Brunnen Wasser schöpfst, wirst du immer wieder durstig. Du musst jeden Tag hierher kommen, dich bücken und den schweren Eimer hochziehen. Ich kann dir aber ein ganz anderes Wasser geben, ein Wasser, das in dir zur sprudelnden Quelle wird. Ich kann dir das Wasser des Lebens geben.«

Da sagte die Frau zu Jesus: »Herr, gib mir dieses Wasser!«

Ein Kind wird getauft

In der Taufe ist es so, als ob Gott ein Kind, das er schon immer freundlich angelächelt hat, persönlich begrüßt und bei seinem Namen nennt.

Zum Zeichen dafür gießt der Priester Wasser über den Kopf des Kindes, das Wasser des Lebens. Das ist mehr als Wasser, das den Durst löscht. Es ist etwas Unsichtbares, Kraftvolles. In diesem Zeichen zeigt Gott uns, dass er uns nah sein möchte und uns teilhaben lässt an seiner Kraft und Liebe.

»Ich taufe dich im Namen des Vaters, des Sohnes und des Heiligen Geistes. Amen.«

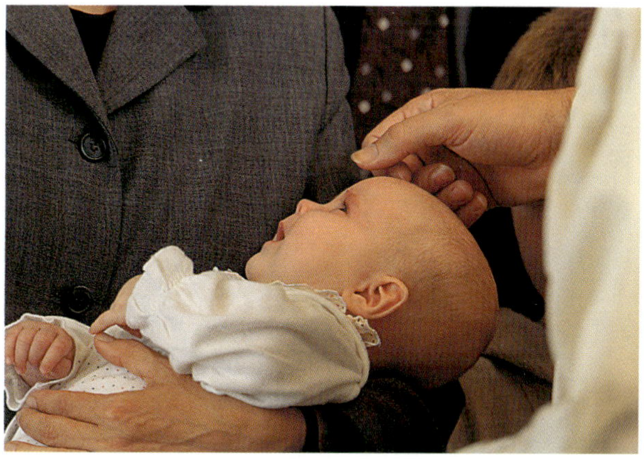

Das Kind wird mit Chrisam gesalbt.

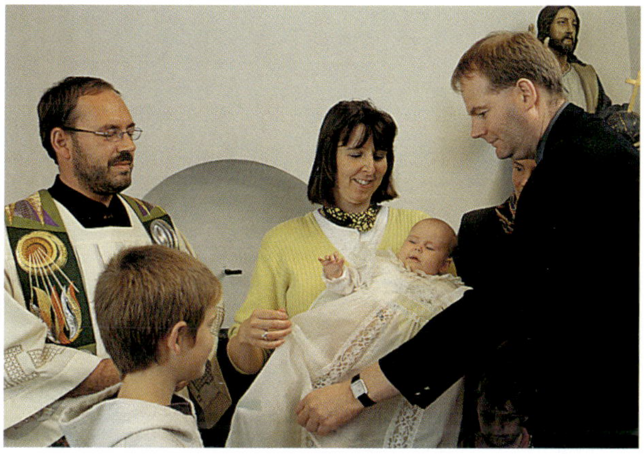

Es bekommt das weiße Taufkleid.

Die Taufkerze wird an der Osterkerze angezündet.

Von jetzt an gehört auch dieses Kind zur großen Gemeinschaft der Christen.

Wir sind alle in Gottes Hand geborgen

Guter Gott, du liebst alle Menschen, die Großen und die Kleinen.
Einige sind gar nicht getauft und glauben nicht an dich.
Einige geben dir einen andern Namen.
Und doch behütest du sie alle in deiner Hand.
Danke, dass du auch die Menschen liebst, die dich nicht kennen. Amen.

Foto von dem Tauf-
brunnen in deiner Kirche

Gestaltungsvorschlag: Schreibt um das Foto des Taufbrunnens herum eure Namen oder klebt Fotos von euch ein.

10. Jesus und die Kinder

Er hat seinen Engeln befohlen, dich zu behüten

Text und Musik:
Annegret Pietron-Menges

Kanon zu drei Stimmen

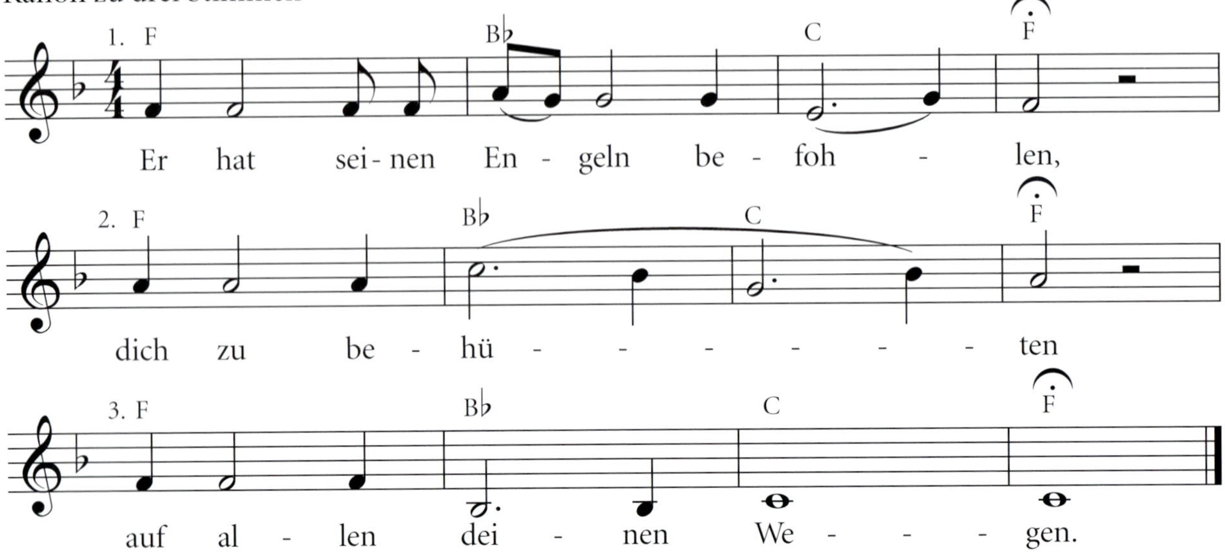

Schläft ein Lied in allen Dingen

Text: J. v. Eichendorff
Musik: M. Frey

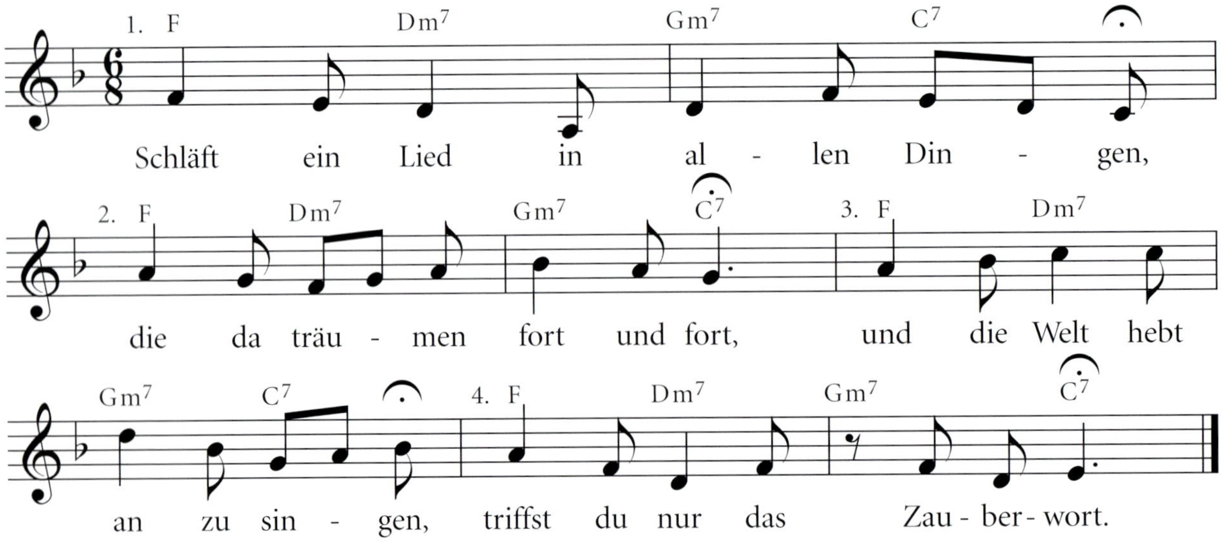

Jesus mochte Kinder sehr. Die folgende Geschichte zeigt, wie lebendig, voller Lebensfreude und Fantasie Kinder sein können. Es ist schön, wenn auch Erwachsene diese Fähigkeit noch haben – so wie der alte Herr in dieser Geschichte.

Brif, Bruf, Braf

In einem Hof spielten einmal zwei Kinder ein äußerst lustiges Spiel. Sie dachten sich eine ganz besondere Sprache aus, in der sie miteinander reden konnten, ohne dass andere Leute eine Silbe davon verstanden. »Brif, Braf«, sagte der Erste. »Braf, Brof«, antwortete der Zweite. Und dann lachten alle beide ganz toll.

Im oberen Stock des Hauses saß ein alter Herr auf dem Balkon und las seine Zeitung. Im Haus gegenüber lehnte eine alte Frau zum Fenster hinaus. »Was sind das für dumme Kinder, die zwei da unten«, sagte die Frau. Aber der alte Herr war nicht ihrer Meinung: »Das finde ich nicht.«

»Sagen Sie mir nur nicht, dass sie verstanden hätten, was sie eben gesagt haben.«

»Doch. Ich habe alles verstanden. Der Erste sagte: Was für ein herrlicher Tag heute. Und der Zweite antwortete: Morgen wird's noch viel schöner.«

Die alte Frau rümpfte die Nase, schwieg aber still, weil die Kinder unten im Hof wieder angefangen hatten, sich in ihrer Geheimsprache zu unterhalten. »Maraschi, barabaschi, pfiffirimoschi«, sagte der Erste. »Bruf«, antwortete der Zweite. Und wieder brach ihr tolles Gelächter aus.

»Wollen sie das auch wieder verstanden haben?«, rief die alte Frau erbost ihrem Nachbarn zu. »Sicher«, antwortete der alte Herr lächelnd. »Der Erste hat gesagt: Wie sind wir doch froh, dass wir auf der Welt sind! Und der Zweite hat ihm geantwortet: Die Welt ist ganz wunderbar!«

»Aber ist sie wirklich wunderbar, die Welt?«, bohrte die alte Frau weiter.

»Brif, Bruf, Braf«, antwortete der alte Herr.

Gianni Rodari

Es gibt noch etwas, das Kinder so manchen Erwachsenen voraus haben. Sie wissen, dass sie einen »Großen« an ihrer Seite brauchen, der ihnen hilft und einfach bei ihnen ist.

Jesus segnet die Kinder (nach Matthäus 19,13-15)

Jesus kam in einen Ort, um dort zu predigen. Kaum hatte es sich herumgesprochen, dass er da war, scharten sich viele Leute um ihn, um ihn zu hören.

Da kamen auch einige Mütter und Väter mit ihren Kindern. Sie wollten, dass Jesus ihren Kindern die Hände auflegte, sie segnete und für sie betete. Die Jünger aber traten energisch dazwischen und wollten sie wegschicken. Sie sagten:

Jesus bemerkte die Unruhe unter den Leuten, stand auf, ging zu den Eltern und ihren Kindern und sagte zu seinen Jüngern: »Wieso schickt ihr die Kinder weg? Kinder sind so wichtig. Wir großen Leute können viel von ihnen lernen. Menschen wie ihnen gehört das Himmelreich.« Dann legte er ihnen die Hände auf und segnete sie.

Einer der Jünger fragte: »Jesus, was meinst du damit: Menschen wie ihnen gehört das Himmelreich. – Wir können doch nicht mehr zu Kindern werden!« Jesus antwortete: »Nein, zu Kindern nicht – aber wie Kinder:

Gestaltungsvorschlag: Überlege, was die Jünger und Jesus gesagt haben könnten, und schreibe es in die Geschichte hinein.

Unser Herz soll dem Himmel geöffnet sein!

Machen wir es wie die Kinder,
die mit der einen Hand sich am Vater festhalten und
mit der anderen die Beeren an der Hecke pflücken.
Ergreifen wir mit der einen Hand die Güter, die uns die Erde bietet,
aber halten wir immer die Hand des Vaters fest,
der im Himmel ist.

Franz von Sales

11. Zachäus

Wo zwei oder drei

Text und Musik: Jesus-Bruderschaft, Gnadenthal
aus: Mosaik 1–4 / Mosaik 5

Kanon zu zwei Stimmen

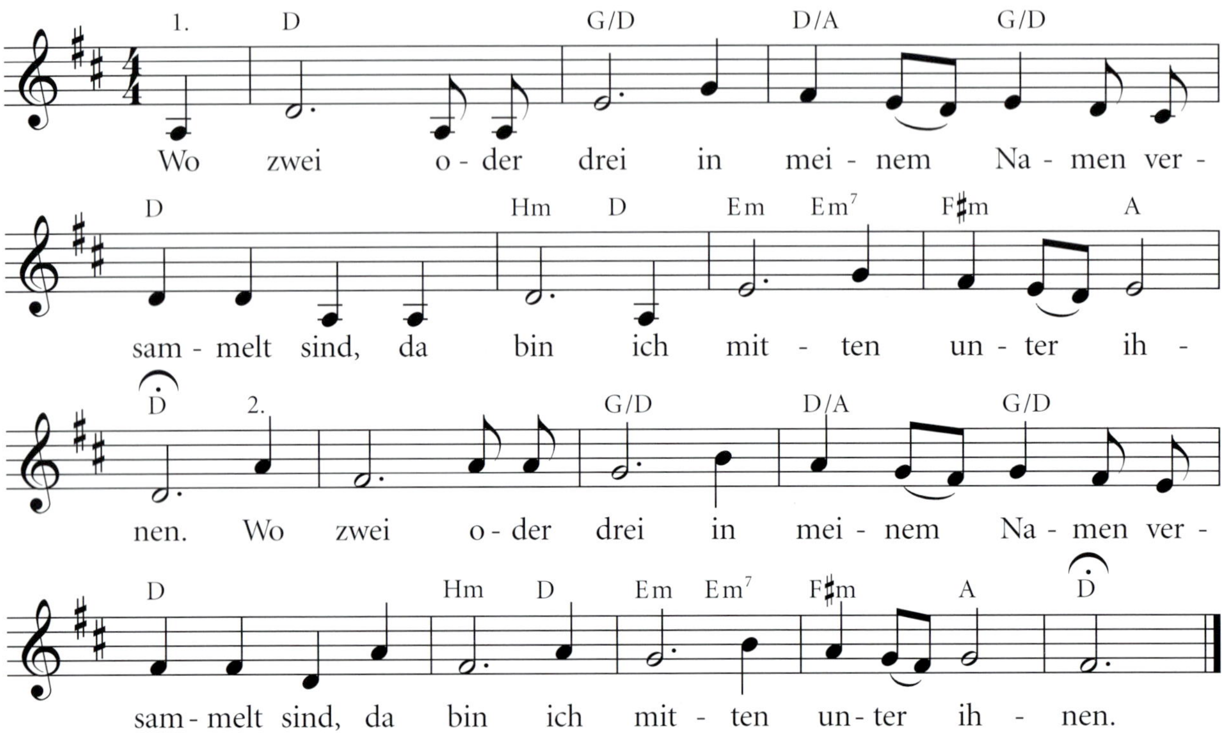

In der Geschichte »Jesus zu Gast bei Zachäus« (Lukas 19, 1 – 10) wird erzählt, dass Jesus die Mauer der Ablehnung und des Hasses durchbricht und mit Zachäus isst. Er zeigt damit, dass sein Vater im Himmel offen ist für jeden, dass er seine Liebe an jeden verschenkt – ganz umsonst, unverdient. Denn »verdient« hat Zachäus diese Liebe nicht. Er hat Leute betrogen und war ein gemeiner Kerl. Er war also gar nicht so unschuldig an seiner Situation. Aber anders als die Menschen bleibt Gott ihm zugewandt. Es ist so, als ob er dasteht wie eine Mutter, die mit ihrem kleinen Kind spielt. Sie beugt sich hinunter, breitet die Arme aus und ruft ihrem Kind zu: »Wer kommt in meine Arme?« Wobei das Kind immer noch die Freiheit hat, in die entgegengesetzte Richtung zu laufen ...

Lasst uns noch ein bisschen in Gedanken in der Geschichte spazieren gehen und sie gedanklich ausmalen. Vielleicht hatte Zachäus eine Frau und Kinder, die unter dem Beruf und dem Ruf des Zachäus zu leiden hatten. Vielleicht hatte seine Frau eine Kusine, der sie ihr Herz ausschütten konnte ...

Hannah und Ruth

Hannah, die Frau des Zachäus, unterhält sich mit ihrer Kusine Ruth, die bei ihr zu Besuch ist.

Ruth: Du siehst gut aus, Hannah! Viel besser als letztes Mal. Heute lachen deine Augen. Letztes Mal warst du so in dich gekehrt und traurig, ja sogar ein bisschen verbittert.

Hannah: Das stimmt. Ich war damals sehr einsam. Ich hatte nur meine Kinder, meinen Mann und die paar anderen Zöllnerfamilien, mit denen wir Kontakt hatten. Die anderen Familien hier im Ort wollten nichts mit uns zu tun haben. Die Frauen sind auf die andere Straßenseite gegangen, wenn sie mich kommen sahen. Am Marktstand verstummte jedes Gespräch, sowie ich kam. Wenn ich in die Synagoge ging und auf die Frauenempore kam, haben sie gezischelt und mich böse angefunkelt.

Ruth: Du meine Güte! Und deine Kinder?

Hannah: Die hatten genauso zu leiden wie ich. Keiner wollte mit ihnen spielen. In der Schule wurden ihnen Schimpfnamen nachgerufen. Und meinen kleinen Aaron haben sie hinterrücks überfallen und ihn grün und blau geprügelt.

Ruth: Und das alles, weil Zachäus Zöllner ist?

Hannah: Ja, Zöllner, das ist das Letzte. So denken jedenfalls die Leute. Die Zöllner stecken mit den Römern, die unser Land besetzen, unter einer Decke – sagen die Leute – und treiben die Zölle ein. Aber was sollten wir machen? Eine andere Arbeit fand oder wollte Zachäus nicht. Er sagte: »Was willst du? Das ist gutes, schnell verdientes Geld.«

Ruth: Na ja, so viel ich von der ganzen Gerüchteküche mitgekriegt habe, ist Zachäus allerdings etwas übereifrig gewesen mit dem Kassieren, oder?

Hannah: Ja, ich geb's zu. Kein Mensch kontrollierte ihn. Er hatte nur seinen bestimmten Betrag bei der römischen Behörde abzugeben. Der Rest war seine Sache. Und da hat er die Leute wohl sehr ausgenommen und viel zu viel Geld gefordert.

Ruth: Wie ertrug er es denn, dass die Leute ihn anfeindeten und nichts mit ihm zu tun haben wollten?

Hannah: Zachäus ist mit der Zeit sehr hart geworden. Vielleicht auch, weil er so klein ist. Da wollte er den Leuten zeigen, dass er doch groß ist und Macht hat. Er sagte immer zu mir: »Was willst du? Wir haben ein schönes Haus, sind sehr gut gekleidet und du hast Schmuck wie keine andere Frau am Ort.« Ach, den Schmuck habe ich gehasst. Ich wollte eine Freundin!

Ruth: Warum ist heute alles anders? Die Sache schien doch sehr verfahren und hoffnungslos?

Hannah: Ganz verstanden habe ich es bis heute nicht. Jesus kam einmal nach Jericho. Du weißt, wer das ist?

Ruth: Ja, ich habe schon viel Gutes von ihm gehört.

Hannah: Zachäus, dem sonst ja alles egal war, wollte ihn unbedingt sehen. Warum, kann er selbst nicht genau sagen. Irgendwie musste ihn dieser Jesus fasziniert haben. Na ja, und weil er so klein ist, konnte er nichts sehen, nur die Rücken von den Leuten. Und da ist er vorausgelaufen und ist auf einen Baum geklettert, um Jesus zu sehen. Stell dir das mal vor! Mein Zachäus mit seinen feinen Kleidern auf dem Baum! Die Leute haben sich halb tot gelacht, als sie ihn entdeckten, und mit den Fingern auf ihn gezeigt. Also, mir war das vielleicht peinlich!

Ruth: Ach, du warst auch dabei?

Hannah: Ja klar! Die Kinder auch. Der ganze Ort wollte Jesus sehen.

Ruth: Und dann?

Hannah: Ja, und dann hat Jesus auch meinen Zachäus entdeckt. Er lachte aber nicht wie die anderen. Er schaute Zachäus nur an. Und dann lächelte er, so ein Lächeln, dass einem das Herz aufgeht. Er winkte Zachäus zu und rief: »He, Zachäus! Komm herab von deinem Baum! Ich möchte heute Abend bei dir zu Gast sein.«

Ruth: Hast du denn was im Haus gehabt, um deinen Gast zu bewirten? Und dazu noch seine Jünger?

Hannah: Natürlich! War gar kein Problem. Zachäus ist wie der Blitz von dem Baum runter und war nur noch glücklich. Ein Gast in unserm Haus! Was für eine Freude! Es war ein wunderbarer Abend. Wir haben gut gegessen und getrunken, viel erzählt und gelacht.

Ruth: Und die andern standen draußen und waren stinksauer.

Hannah: Genau. Aber das war mir egal. Denn an diesem Abend wurde Zachäus ein anderer. Es war, als ob etwas in ihm auftaute und schmolz. In den nächsten Tagen ging er zu den Leuten, denen er Unrecht getan hatte, und gab ihnen ihr Geld zurück und noch was dazu! Die Leute hielten das zuerst wieder für einen miesen Trick von ihm und waren sehr misstrauisch. Aber dann nahmen sie doch das Geld und seine Entschuldigung an.

Ruth: Und von dem Tag an war alles anders?

Hannah: Nein, nicht alles. Zachäus muss nach wie vor hinten in der Synagoge stehen, weil er ja unreine Arbeit tut. Aber er wird nicht mehr gar so böse angesehen. Mich grüßen die Nachbarn wieder. Unsere Kinder dürfen auf der Straße mitspielen. Und neulich kam sogar eine Nachbarin und brachte mir ein frisch gebackenes Brot. Du siehst, für uns hat eine neue Zeit angefangen.

Ruth: Nicht nur für euch, Hannah. Ich glaube, dass für uns alle eine neue Zeit angefangen hat.

Annegret Pietron-Menges

Das Haus des Zachäus

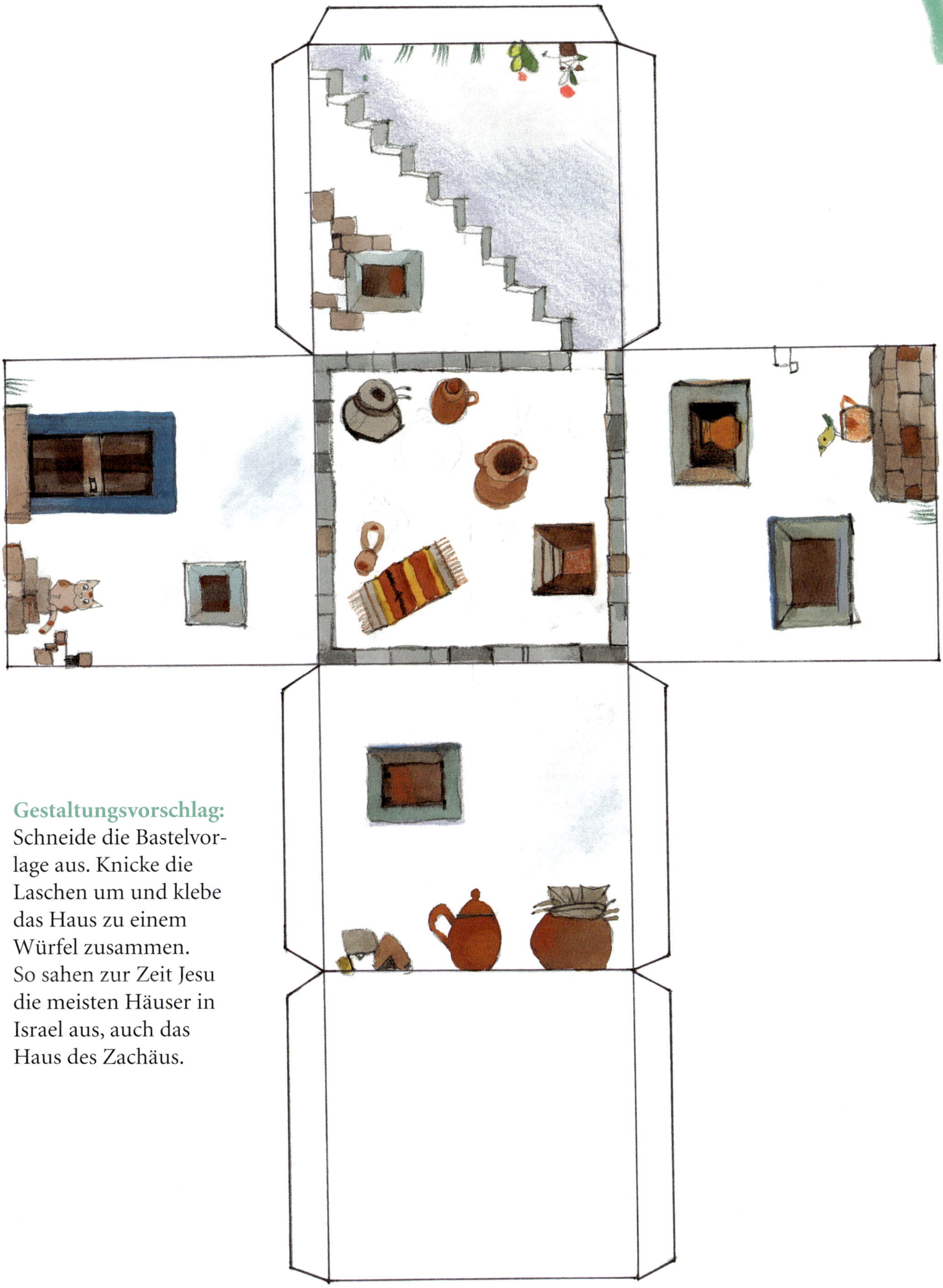

Gestaltungsvorschlag:
Schneide die Bastelvorlage aus. Knicke die Laschen um und klebe das Haus zu einem Würfel zusammen.
So sahen zur Zeit Jesu die meisten Häuser in Israel aus, auch das Haus des Zachäus.

12. Jesus lehrt uns beten: Vater unser

Alles kann beten sein

Text und Musik: Maria Schwedhelm

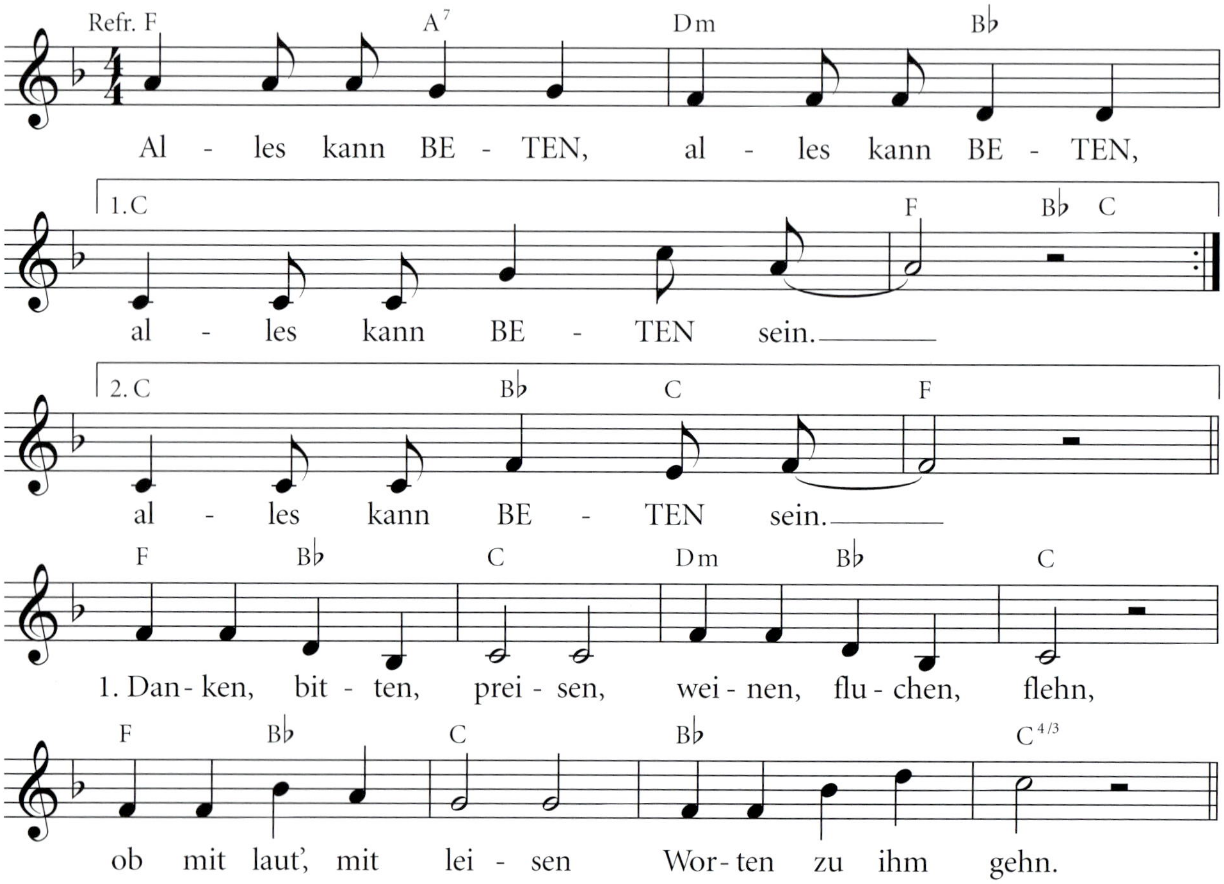

2. Er hört jedes Klagen, jeden Schrei sofort.
Angst und Zweifel sind bei Gott am richt'gen Ort

3. Im Feiern, Tanzen, Träumen kommen wir ihm nah.
Lasst's uns nicht versäumen! Er ist für uns da.

Jesus zog sich oft zurück, um allein zu sein, still zu werden und in die Stille zu hören. Er ging fort von seinen Jüngern, an einen »einsamen Ort«, um in der Stille sich selbst zu finden und zu beten. Als seine Jünger ihn einmal baten: »Lehre auch uns, so zu beten wie du!«, lehrte er sie das Vaterunser.

Vater unser

Vater unser im Himmel,
geheiligt werde dein Name!
Dein Reich komme!
Dein Wille geschehe wie im Himmel so auf Erden!
Unser tägliches Brot gib uns heute,
und vergib uns unsere Schuld,
wie auch wir vergeben unseren Schuldigern.
Und führe uns nicht in Versuchung,
sondern erlöse uns von dem Bösen.
Denn dein ist das Reich und die Kraft und die Herrlichkeit in Ewigkeit.
Amen.

Das Vaterunser ist das bekannteste Gebet der Christen. Es wird sehr oft gebetet, so oft, dass man es manchmal gedankenlos dahersagt, ohne zu wissen, was man betet. Das folgende »Gespräch mit unserm Vater« kann dir dabei helfen, das Gebet neu zu entdecken.

Ein Gespräch mit »unserm Vater«

Vater unser im Himmel ...

Ja?

Unterbrich mich nicht! Ich bete!

Aber du hast mich doch angesprochen!

Ich dich angesprochen? Äh – eigentlich nicht. Das beten wir eben so: Vater unser im Himmel ...

Da, schon wieder! Du rufst mich an, ein Gespräch zu beginnen, oder? Also, worum geht's?

Geheiligt werde dein Name ...

Meinst du das ernst?

Was soll ich ernst meinen?

Ob du meinen Namen wirklich heiligen willst? Was bedeutet das denn?

Es bedeutet ... es bedeutet ... meine Güte, ich weiß nicht, was es bedeutet! Woher soll ich denn das wissen?

Es bedeutet, dass du mich ehren willst, dass ich dir einzigartig wichtig bin, dass dir mein Name wertvoll ist.

Aha, Hm. Ja das verstehe ich. Dein Reich komme. Dein Wille geschehe wie im Himmel so auf Erden …

Tust du was dafür?

Dass dein Wille geschieht? Natürlich! Ich gehe in den Kindergottesdienst, ich sammle als Sternsinger für die Kinder in Not, ich singe in der Kinderschola …

Ich will mehr: dass du dein Leben bewusst lebst, dass du Verantwortung übernimmst für dich und andere, dass andere sich bei dir wohl fühlen, dass du offene Augen und Ohren und vor allen Dingen ein offenes Herz für deine Umgebung hast, dass du mutig für eine gute Sache eintrittst …

Hör auf! Warum sagst du das ausgerechnet mir? Was meinst du, wie viel Heuchler in der Kirche sitzen, die alle nur so fromm tun?

Entschuldige! Ich dachte, du betest wirklich darum, dass mein Reich komme und mein Wille geschehe. Das fängt nämlich ganz persönlich bei dem an, der darum bittet. Erst wenn du dasselbe willst wie ich, kannst du ein Botschafter meines Reiches sein.

Das leuchtet mir ein. Kann ich jetzt mal weiterbeten? – Unser tägliches Brot gib uns heute …

Achtest du auch dein Brot? Weißt du, wie kostbar es ist? Denkst du daran, dass Millionen Menschen nicht ihr tägliches Brot haben?

Und vergib uns unsere Schuld, wie auch wir vergeben unseren Schuldigern …

Und Andreas?

Andreas?! Jetzt fängst du auch noch von dem an! Wenn ich den schon sehe, wird mir schlecht! Der mit seinen supercoolen Jacken und Hosen. Und wie der sich benimmt! Einfach mies! Gibt voll an mit seinem neuen Computer und Internet und so weiter …

Ich weiß, ich weiß. Und dein Gebet? » … wie auch wir vergeben unseren Schuldigern?«

Ich meinte es nicht so, hab's so dahergesagt.

Du bist wenigstens ehrlich.

Und führe uns nicht in Versuchung, sondern erlöse uns von dem Bösen …

Nichts lieber als das!

Wie meinst du das?

Na, du kennst doch deine schwachen Punkte: Stunden vor dem Fernseher hocken, das letzte Taschengeld in irgendwelche Kampfspiele am Computer stecken, Null Bock auf Hausarbeit, Ansprüche stellen ohne Ende, egal ob Taschengeld oder Klamotten … Das sind Versuchungen. Gib ihnen keine Chance!

Ich glaub, das ist das schwierigste Vaterunser, das ich je gebetet habe. Aber es hat etwas mit meinem Leben zu tun.

Schön, wir kommen weiter. Bete ruhig zu Ende!

Denn dein ist das Reich und die Kraft und die Herrlichkeit.

Weißt du, was ich gut finde? Wenn Kinder wie du anfangen, mich ernst zu nehmen, echt zu beten, versuchen zu tun, was mein Wille ist. Wenn sie merken, dass das Kommen des Reiches Gottes auch ihre Mithilfe braucht.

Amen. Amen.

Gestaltungsvorschlag: Dies ist ein Mandala, ein Meditationsbild. Du kannst es ausmalen: von innen nach außen oder von außen nach innen, ganz wie du willst. Das Ausmalen kann eine Hilfe sein, ruhig zu werden und sich ganz auf das zu konzentrieren, was dir wichtig ist. Vielleicht kann es auch eine Hilfe sein, eigene Worte fürs Beten zu finden.

Zeichne mit deinem Finger den Weg durch's Labyrinth nach. Du wirst sehen, dass ein Labyrinth kein Irrgarten ist. Es gibt nur einen Weg, der auf die Mitte zugeht. Die Mitte ist wie ein Anker, der alles hält. Überlege, was der Anker, was das Wichtigste in deinem Leben ist. Auf deinem Weg durch's Labyrinth wirst du erfahren, dass es viele Wendepunkte gibt – wie in unserem Leben. Da geht es auch nicht immer geradeaus. Da gibt es viele scheinbare Rückschritte. Mal scheint die Mitte zum Greifen nah. Aber bei der nächsten Wendung entfernen wir uns von ihr. Doch wir können sicher sein: Es gibt sie, diese Mitte. Sie hält uns und sie trägt uns.

13. Wir betrachten einen besonderen Lebensweg

Das Lied vom eigenen Weg

Text und Musik: Wolfgang Longardt

2. Was ist mein Gepäck?
Was nehm ich dann mit?
Manch Lieblingsbuch, manch Lied
in Zukunft mit mir zieht:
Refrain: Such meinen eig'nen Weg ...

3. Viel Erinnerung,
manches gute Wort
und Gottes Segen trägt,
gibt Mut, zieht mit mir fort:
Refrain: Such meinen eig'nen Weg ...

4. Still verborgen geht,
den kein Aug erblickt:
Er gibt mir Mut und Schutz,
der Engel, den Gott schickt.
Refrain: Such meinen eignen Weg ...

In Betlehem fing alles an

Die Nacht hat sich über das Land gesenkt. Die Hirten haben ihre Schafe in den Pferch gebracht und nun sitzen sie um das Feuer: Aaron, Daniel und Andreas und Simon mit seiner Frau Lea und der 8-jährige David. Schweigsam und einträchtig sitzen sie da, schauen in die Flammen und lauschen auf die Geräusche der Nacht: Ein Schaf blökt leise, ein Käuzchen ruft, das Feuer knistert. Da sagt Daniel in die Stille:

Daniel: Wisst ihr noch, damals? Das war auch so eine Nacht – voller Frieden.

Aaron: Was meinst du?

Daniel: Damals, – das muss jetzt schon über 30 Jahre her sein – da war doch die große Volkszählung. Da saßen wir auch hier ganz in der Nähe am Feuer und lauschten in die Nacht. Simon und Lea und natürlich David waren noch gar nicht geboren.

Aaron: Ja, natürlich erinnere ich mich. Es war eine wunderbare Nacht – besonders nach diesem turbulenten Tag.

David: Wieso war denn der Tag so turbulent? Was heißt das überhaupt?

Aaron: Na ja, es kamen ohne Unterlass Leute hier vorbei auf dem Weg nach Betlehem, um sich dort in die Steuerlisten eintragen zu lassen. Das war vielleicht ein Betrieb in unserem kleinen Städtchen! Die Gastwirte machten das Geschäft ihres Lebens, weil die meisten Leute ein Bett für die Nacht brauchten. – Ja, es war ein turbulenter Tag. Und dann die wunderbare Stille der Nacht – und in dem Stall das Kind.

Lea: Ja, das habt ihr oft erzählt. In der Nacht noch seid ihr zu dem Kind und seinen Eltern gegangen, nicht wahr?

David: Wieso? Lebten die im Stall?

Aaron: Nein, Josef und Maria hatten kein Zimmer mehr bekommen und mussten im Stall übernachten. Maria war hochschwanger und in dieser Nacht hat sie ihr Kind in dem Stall geboren. Sie wickelte es in Windeln und eine weiche Decke, wiegte es in ihren Armen und legte es auf das Stroh in der Krippe.

Lea: Die arme Frau, in einem Stall ihr Kind zu bekommen!

Andreas: Ja, das dachte ich auch, aber sie war unendlich glücklich. Und das Kind – Jesus hieß es – war ein besonderes Kind. Wir waren so ergriffen von dem Kind, dass wir vor ihm niederknieten wie vor einem König. Weißt du noch, Daniel?

Daniel: Ja, sogar die feinen Leute, die später kamen, knieten vor dem Kind. Ja, es war eine wunderbare Nacht ...

David: Und dann?

Daniel: Sie sind wohl wieder in ihr Heimatdorf Nazaret zurückgegangen. Andreas, du hattest doch immer noch Kontakt zu der Familie.

Andreas: Ja, weil meine Kusine Sara auch in Nazaret wohnt. Sie hat mir immer mal wieder was von der Familie und vor allem von Jesus erzählt. Eigentlich wuchs er auf wie alle anderen Kinder auch – nichts Besonderes.

Aaron: Doch, da war doch was! Das hast du damals erzählt. Da musste Jesus 12 Jahre alt gewesen sein.

Andreas: Stimmt! Die Familie war zum Paschafest nach Jerusalem gegangen. Und auf dem Rückweg nach Nazaret war der Junge nicht mehr aufzufinden. Nach drei Tagen haben sie ihn schließlich gefunden.

Lea: Und wo war er?

Andreas: Im Tempel! Da saß er bei den ganzen gelehrten Leuten, hörte zu und stellte kluge Fragen.

Daniel: Das hätte sich mal einer von meinen Jungs erlauben sollen! Den hätte ich über's Knie gelegt, dass er drei Tage nicht hätte sitzen können.

Lea: Also, das ist ja mal wieder typisch! Männer! Unser kleiner David ist uns auch schon mal verloren gegangen – im Basar in Jerusalem. Ihr kennt ja das Gewimmel da. Mein Gott, was habe ich den Jungen gesucht. Ich bin bald verrückt geworden vor Sorge. Und dann habe ich ihn bei Ruben, dem Silberschmied, wiedergefunden. Ich hab geheult vor Freude. – Nix mit übers Knie legen!

Daniel: Ist ja gut. War nicht so gemeint!

Simon: Was hat er denn so beruflich gemacht?

Andreas: Keine Ahnung. Wahrscheinlich das gleiche wie sein Vater – Zimmermann. Ja und dann, als erwachsener Mann – da muss er so Anfang 30 gewesen sein, da ließ er sich von Johannes im Jordan taufen.

David: War das der, der in der Wüste lebte und Heuschrecken mit Honig aß?

Aaron: Genau der. Aber das war eigentlich nicht das Wichtigste an ihm. Er war ein Mann, der einen ganz tiefen Glauben hatte und überzeugt war, dass mit Jesus eine neue Zeit beginnen würde.

Simon: Wieso ließ sich Jesus eigentlich taufen? Er war doch Jude?

Aaron: Tja, das weiß ich auch nicht so genau. Ich denke, dass Jesus damit zeigen wollte, dass mit der Taufe für ihn ein neues Kapitel seines Lebens begann. Die Taufe im Wasser des Jordan war für ihn vielleicht ein Zeichen, dass er dies Kapitel ganz »sauber«, unbelastet beginnen wollte – wie ein neuer Mensch. So stelle ich mir das jedenfalls vor.

David: Was hat er denn dann gemacht?

Daniel: Er wanderte durch das Land, gewann Freunde, die mit ihm gingen, und erzählte den Leuten von Gott, den er seinen Vater nannte. Es ging eine unglaubliche Kraft von ihm aus. Die Leute kamen in Scharen, um ihm zuzuhören oder ihn auch nur zu sehen.

Andreas: Oder um von ihm geheilt zu werden. Denk doch nur an den Gelähmten, den sie durch das Dach zu ihm abgeseilt hatten, oder an Bartimäus!

Simon: Und dann dieses schreckliche Ende. Furchtbar!

David: Wieso schrecklich? Was ist denn passiert?

Aaron: Es ist noch gar nicht so lange her: Letztes Jahr ist er mit seinen Freunden nach Jerusalem gegangen, um das Paschafest zu feiern. Die Leute empfingen ihn wie einen König. Aber dann wurde er verhaftet, verhört, geschlagen und schließlich hingerichtet – gekreuzigt.

David: Aber warum?

Aaron: Ich weiß es nicht. Es gibt viele Meinungen, wer Schuld an seinem Tod war. Ich glaube, es musste so sein.

David: Dann ist also alles vorbei?

Daniel: Oh nein! Es fängt alles erst an!

David: Das verstehe ich nicht.

Andreas: Die Leute sagen, er ist auferstanden! Sein Grab war leer, als die Frauen kamen, um den Leichnam zu salben. Sogar der dicke Stein vor dem Grab war weggerollt.

Aaron: Andern ist er erschienen, dem Thomas, dem Petrus, den Frauen ... Sie sagen, dass er lebt und ganz wirklich ist – kein Traum!

Daniel: Ich bin mir ganz sicher. Die Geschichte mit Jesus ist noch lange nicht zu Ende ...

Annegret Pietron-Menges

Der Lebensweg Jesu

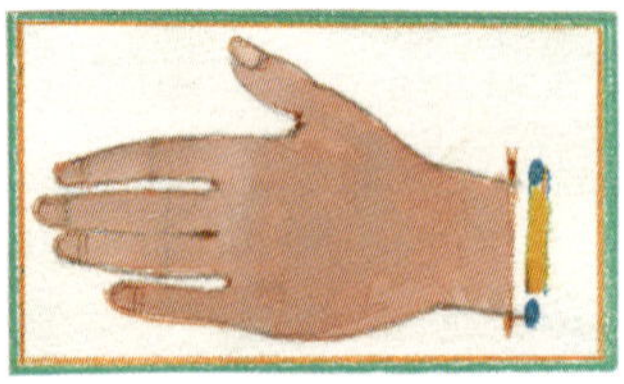

Die kleinen Bilder erinnern an einige wichtige Ereignisse im Leben Jesu. Überlege, welche Ereignisse gemeint sind, und bitte deine Eltern, mit dir die Bilder zu beschriften. Verbinde die Bilder mit einem Weg, so dass ein »Lebensbilderweg« entsteht.

14. Miteinander essen – zueinander finden

Wenn das Brot, das wir teilen

Text: © C. P. März
Musik: © K. Grahl

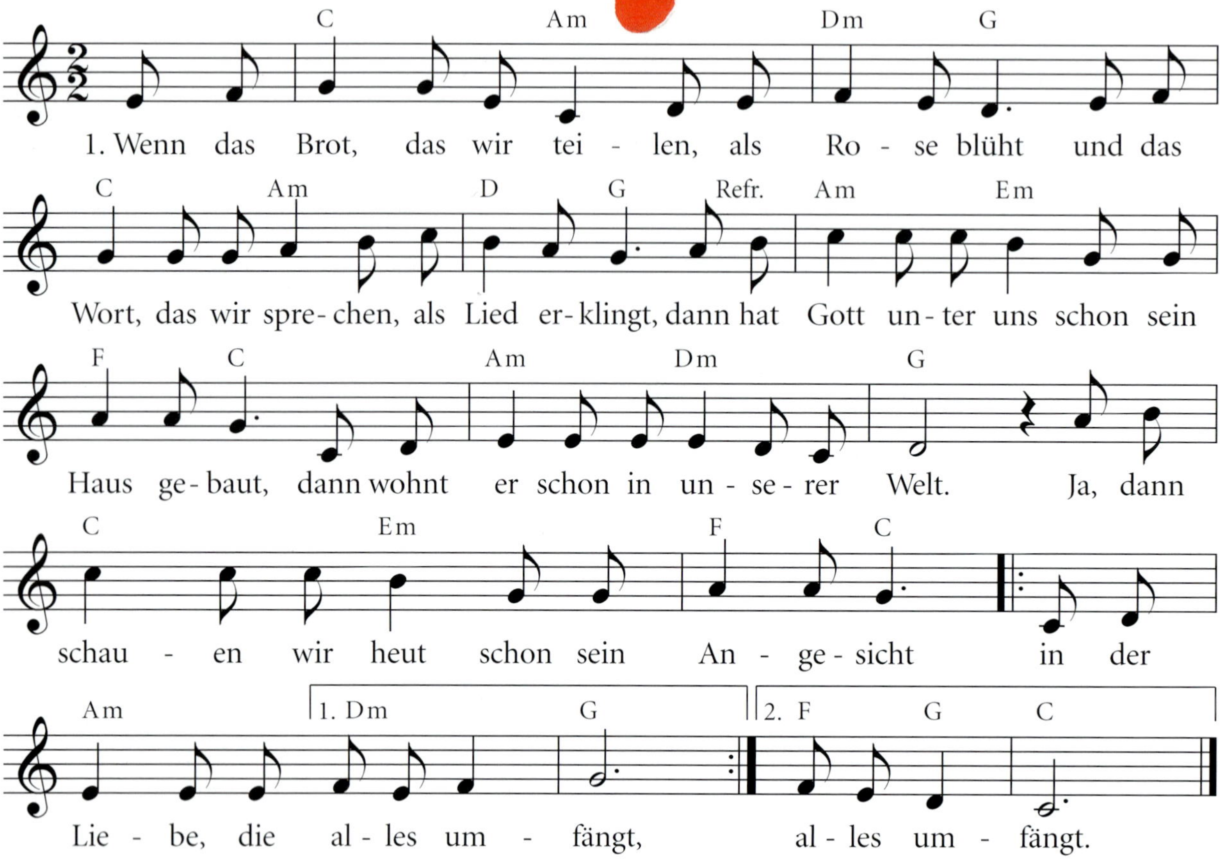

2. Wenn das Leid jedes Armen uns Christus zeigt,
und die Not, die wir lindern, zur Freude wird …

3. Wenn die Hand, die wir halten, uns selber hält,
und das Kleid, das wir schenken, auch uns bedeckt …

4. Wenn der Trost, den wir geben, uns weiter trägt,
und der Schmerz, den wir teilen, zur Hoffnung wird …

5. Wenn das Leid, das wir tragen, den Weg uns weist,
und der Tod, den wir sterben, vom Leben singt …

In der ersten Strophe des Liedes wird auf das »Rosenwunder« der Hl. Elisabeth angespielt. Elisabeth wohnte auf der Wartburg in Thüringen. Sie verschenkte einen großen Teil ihres Besitzes an die Armen. Die Leute auf der Burg sagten ihrem Ehemann Ludwig, sie würde mit ihrer Freigebigkeit die ganze Familie ruinieren. Doch Ludwig ließ sie gewähren. Als Elisabeth nach dem Tod ihres Mannes wieder einmal mit einem Korb voll Brot zu dem Armenhaus der Stadt ging, stellte sich ihr Heinrich – der Bruder Ludwigs – in den Weg und befahl ihr, den Korb zu öffnen. Sie schlug das Tuch zur Seite und Heinrich sah, dass der Korb voller Rosen war.

Das Brot der Nachbarin

aus dem Tagebuch von Marie

23. Januar 2001

Heute ist etwas ganz Schönes passiert. Beim Abwasch heute Abend hat Mama sogar ein bisschen gesungen. Das hat sie seit dem Tod von Papa nie mehr getan. Drei Wochen ist Papa schon tot. Es ist schlimm. Er fehlt uns so. Mama weint viel und ich auch. Oma und Großvater kommen jetzt öfter, auch ein paar von Mamas Freundinnen. Aber einige Leute sind ganz komisch geworden, besonders die Nachbarin im 3. Stock.

Bevor Papa starb, hat sie immer ganz fröhlich gegrüßt und ist öfter auf ein Schwätzchen gekommen. Aber jetzt geht sie uns aus dem Weg. Wenn sie uns zufällig trifft, grüßt sie ganz kurz und schaut schnell weg. Einmal hab ich genau gemerkt, wie sie oben schon die Tür aufmachte, um hinunter zu gehen. Aber als sie uns im Flur hörte, hat sie ihre Tür schnell wieder zugemacht. Mama hat das sehr weh getan.

Heute Nachmittag klingelte es auf einmal und die Nachbarin stand vor der Tür. In den Händen hielt sie ein Brot – in ein kariertes Geschirrtuch eingeschlagen. Als Mama die Tür öffnete, druckste sie so rum und wurde dabei ganz rot: »Ich wollte nur ..., ich möchte Ihnen nur sagen ..., also meine Familie meint, ich würde so ein gutes Brot backen, und da wollt ich Ihnen mal eins vorbeibringen.«

Sie wollte Mama das Brot schnell in die Hand drücken und wieder gehen. Aber Mama hat die Tür ganz weit geöffnet und hat gesagt: »Kommen Sie doch herein.« Die Nachbarin legte das Brot auf den Küchentisch und schlug das Tuch auseinander. Die ganze Küche wurde erfüllt von dem Duft des frischen Brotes. Es war sogar noch ein bisschen warm. »Setzen Sie sich doch«, sagte Mama. »Lassen Sie uns das Brot gemeinsam probieren.« Sie stellte noch Teller und Butter und Honig auf den Tisch und legte ein Messer dazu. Dann schnitt sie das Brot an. Es hatte eine ganz knusprige Kruste und innen war es ganz weich und locker. Das Brot war köstlich.

Das Essen tat gut. Mit jedem Bissen fiel den beiden das Reden leichter. Auf einmal legte die Nachbarin ihre Hand auf Mamas Arm

und sagte: »Ich war so hilflos. Ich wusste nicht, wie ich Sie trösten sollte.« Da legte Mama ihre Hand auf die Hand der Nachbarin und sagte: »Ich bin so froh, dass Sie da sind.« – Und dann haben sie erzählt, von Papa, wie schön er immer gepfiffen hat – niemand konnte so schön pfeifen wie Papa; wie er der Nachbarin einmal im Winter das Auto angeschleppt hatte oder wie er als Erwachsener noch Fahrradfahren lernte, dort unten auf der Straße, und alle Nachbarn klatschten, als er's konnte ... Sie erzählten und lachten sich dabei an. Und dann weinte Mama ein bisschen und die Nachbarin weinte auch. Aber das war gar nicht mehr so schlimm.

Annegret Pietron-Menges

Brot kann mehr sein als »nur« Brot. Miteinander essen kann Menschen verbinden, Gemeinschaft schaffen und Frieden stiften.

Rezepte für Quarkbrötchen

Zutaten:
50 g Butter
50 – 100 g Zucker
etwas Salz
250 g Quark

500 g Weizenmehl
(wenn ihr das Mehl selbst mahlt, müsst ihr die Kleie aussieben. Dann schmeckt's besser.)
1 1/2 Päckchen Backpulver
7 Esslöffel Milch

Zubereitung:

Fett schaumig rühren, nach und nach Zucker, Salz und Quark hinzugeben. Das mit dem Backpulver gemischte und gesiebte Mehl abwechselnd mit Milch unterrühren. (Sonst keine Flüssigkeit mehr zugeben, auch wenn der Teig nur noch schwer knetbar ist.)

Aus dem Teig Brötchen formen und Kerben einschneiden, aufs Backblech geben und abbacken.

Backzeit: 20 – 30 Minuten bei 200°

Die Brötchen könnt ihr auch mit Mohn, Sesam oder Sonnenblumenkernen bestreuen und zu einer Sonne zusammenlegen. Im Ofen backen die einzelnen Brötchen dann zusammen.

Oder ihr backt »Igelbrötchen«:

Dafür formt ihr eure Brötchen wie einen Igel. Mit einer Schere schneidet ihr ihm Stacheln – einfach ein paar Mal in den Teig schneiden. Die Spitzen biegen sich dann wie Stacheln nach oben. Dann drückt ihr eurem Igelchen noch Rosinenaugen in den Kopf und bepinselt ihn mit verquirltem Eigelb. Die Igel werden genau wie die Brötchen gebacken.

Oder ihr backt ein Lamm:

Aus der Teigmenge, die hier angegeben ist, könnt ihr 3-4 Lämmer backen – je nach Größe eurer Schablone. Ihr malt ein Lamm auf eine Pappe DIN A 4 und schneidet es aus. Dann rollt ihr den Teig mit einem Nudelholz auf einer bemehlten Fläche aus, ca. 1/2 cm dick. Legt die Pappschablone darauf und umfahrt sie mit einem spitzen Messer. Legt nun das Teiglamm vorsichtig auf ein mit Backpapier ausgelegtes Backblech.

Jetzt kriegt das Lamm noch ein Fell. Das Lamm wird zunächst dünn mit verquirltem Eigelb bestrichen, damit das Fell besser hält. Dann dreht ihr viele kleine, möglichst dünne Teigröllchen, dreht sie zu Locken und legt sie auf das Lamm – Gesicht und Beine des Lammes aussparen. Jetzt bekommt es noch ein Rosinenauge und wird noch einmal mit verquirltem Eigelb bepinselt.

Bei 200 Grad für ca. 25 Minuten im Backofen backen.

15. Das Paschafest

Als Israel in Ägypten war

Spiritual

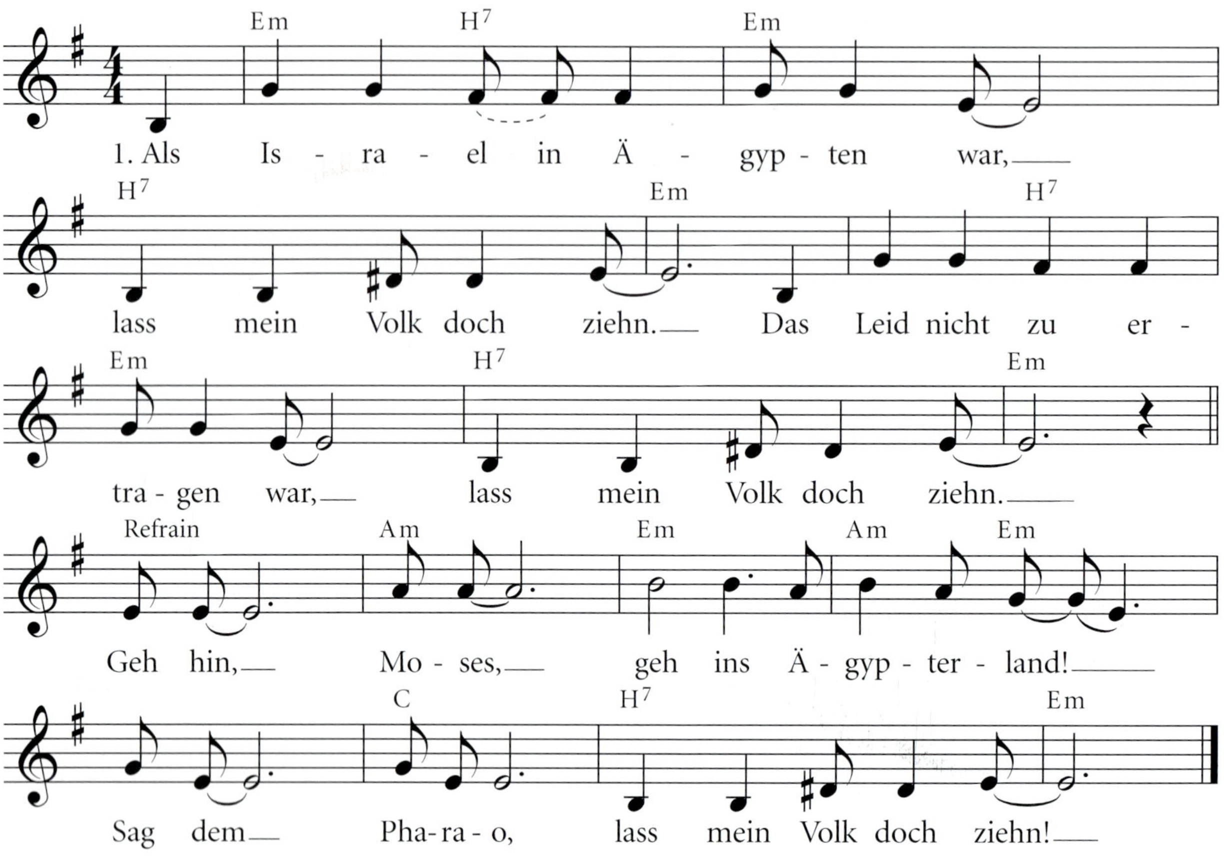

2. »Gott will's«, sprach Moses vor dem Thron. – Lass mein Volk doch ziehn! –
»Sonst stirbt dein erstgeborner Sohn.« – Lass mein Volk doch ziehn!
Refrain

3. Genug der Fron, der Sklaverei, – lass mein Volk doch ziehn! –
Entlass mein Volk und lass es frei! – Lass mein Volk doch ziehn!
Refrain

4. Gott führt sein Volk mit starker Hand, – lass mein Volk doch ziehn! –
Weist ihm den Weg ins eigne Land. – Lass mein Volk doch ziehn!
Refrain

Das Pascha-Mahl

Bis heute feiern die Juden in jedem Frühjahr das Paschafest (sprich: Pas-cha) zur Erinnerung an die Befreiung ihres Volkes aus der Sklaverei in Ägypten. Der Ablauf der Paschafeier ist genau festgelegt. Es gibt ganz bestimmte Speisen zu essen, die alle eine symbolische Bedeutung haben. Sie sind auf der so genannten Sederplatte angeordnet.

Hausvater: Wir preisen dich, Herr der Welt. Du hast uns bestimmte Zeiten gegeben, wo wir uns freuen und Feste feiern und Festlichter entzünden sollen. Heute feiern wir, weil du uns aus Ägypten geführt hast. Gelobt seist du, unser Gott, denn du hast die Frucht des Weinstocks geschaffen.
(Alle trinken einen Schluck, der Hausvater nimmt etwas Petersilie als Zeichen für das erste Grün in der Natur und taucht sie in das Salzwasser.)

Hausvater: Gott, du sollst gelobt sein, du hast die Früchte der Erde geschaffen.
(Der Hausvater bricht ein Stück Mazze ab.)

Seht, das Brot der Tränen, das unsere Väter im Lande Ägypten gegessen haben. Lasst alle, die Hunger haben, zum Essen kommen. Kommt, feiert alle mit.
(Der Hausvater liest die Geschichte vor.)

Zur Zeit des Mose lebten die Israeliten in ägyptischer Gefangenschaft. Sie mussten hart für die Ägypter arbeiten und konnten nicht so leben, wie sie wollten. Sie beteten zu Jahwe – ihrem Gott – dass er ihnen helfen möge. Dieser schickte schlimme Plagen über Ägypten, aber der Pharao ließ die Israeliten nicht gehen, weil er sie als billige Arbeitskräfte brauchte.

Schließlich sagte Jahwe zu Mose: »Ich werde noch eine Plage über den Pharao von Ägypten und sein Volk kommen lassen. Danach wird er euch ziehen lassen. Sag allen Israeliten, dass am 10. Tag dieses Monats jeder Mann für seinen Haushalt ein junges Lamm ohne Fehler aussuchen soll. Wenn eine Familie zu arm ist, kann sie sich mit den Nachbarn zusammentun. Am Abend des 14. Tages dieses Monats soll dieses Lamm geschlachtet werden. Streicht etwas von dem Blut des Lammes an die Türpfosten. Noch in dieser Nacht sollt ihr das Fleisch braten und essen, dazu ungesäuertes Brot und Bitterkräuter. Esst schnell und mit bereits gegürtetem Gewand, die Schuhe schon an euren Füßen und den Wanderstab in der Hand.

Das ist das Paschafest Jahwes. In dieser Nacht werde ich in allen ägyptischen Häusern die Erstgeborenen töten. Das Blut an euren Häusern soll ein Zeichen zu eurem Schutz sein. Wenn ich dieses Zeichen sehe, werde ich an euch vorübergehen. Und das Unheil wird euch nicht treffen. Ihr sollt euch immer an diesen Tag erinnern und ihn für alle Zeiten jedes Jahr als Fest für Jahwe feiern.«

Der Jüngste: Was bedeutet Pascha?

Hausvater: Es bedeutet »Vorübergang«. Der Herr ging in Ägypten an den Häusern der Israeliten vorüber und verschonte ihre Häuser, brachte aber Unheil über die Ägypter.

Der Jüngste: Wodurch unterscheidet sich diese Nacht von allen anderen Nächten?

Hausvater: Wir feiern das Befreiungsfest unseres Volkes. Jede andere Nacht essen wir auch gesäuertes Brot, diese Nacht nur ungesäuertes. Jede andere Nacht genießen wir jede Art von Kraut, diese Nacht nur bitteres.

Alle: Einst waren wir Sklaven in Ägypten, aber Gott führte uns heraus, sonst hätten auch noch unsere Nachkommen auf ewig dienen müssen. Die Geschichte des Auszuges müssen wir immer wieder erzählen. Wir denken so daran, als wären wir selbst dabei gewesen.

Hausvater: Die Ägypter haben uns mit harter Arbeit gequält. Da haben wir zu Gott gerufen und er hat uns erhört.

Der Jüngste: Was bedeutet das ungesäuerte Brot?

Hausvater: Es erinnert uns daran, dass unsere Vorfahren eilig aus Ägypten fort mussten. Sie hatten keine Zeit, den Teig zu säuern. Gott, du sollst gelobt sein, du hast uns befohlen, heute Mazze zu essen.

(Alle essen ein Stück Mazze.)

Der Jüngste: Dieses bittere Kraut, welche Bedeutung hat es?

Hausvater: Die Ägypter haben das Leben unserer Väter durch harte Arbeit bitter gemacht.

Der Jüngste: Woran denken wir, wenn wir das Fruchtmus essen?

Hausvater: Wir denken an die Ziegel, die unsere Väter herstellen mussten.

(Alle nehmen ein Stück Mazze und tauchen es in das Mus.)
Wir preisen dich, Gott, der du uns befohlen hast, bittere Kräuter zu essen. Ein weiser Mann sagte, man soll Mazze und Bitterkraut zusammen essen.

(Alle essen Mazze und Meerrettich / Chicoree.)

Der Jüngste: Was bedeutet das Fleisch auf dem Teller?

Hausvater: Es erinnert uns an das Lamm, das unsere Vorfahren in der Nacht des Auszuges aus Ägypten aßen.

(Alle stehen auf und fassen sich an den Händen.)

Alle: Gott hat uns errettet. Ihm sei Lob und Dank. Vom Anfang der Sonne bis zum Niedergang sei gelobt der Name des Herren.

Der Sedertisch

Das Paschafest ist das wichtigste Fest der Juden. Auch Jesus hat als Kind dieses Fest kennen gelernt und es jedes Jahr gefeiert.

Die Speisen	sind Zeichen für:
	die bittere Zeit als Fronarbeiter in Ägypten
	die vielen Tränen bei der Zwangsarbeit
	die vielen aus braunem Lehm geformten Ziegel
	das Paschalamm, das in der Nacht der Flucht geschlachtet wurde
	den eiligen Auszug aus Ägypten
	das erste Grün in der Natur

Trage die entsprechenden Speisen in die Tabelle ein und male sie oben in die Schüsseln auf dem Tisch.

Rezept für ungesäuerte Brote (Mazzen)

Zutaten: 500 g Mehl
1 TL Salz
ca. 200 ml Wasser

Mehl, Salz und das warme Wasser miteinander verkneten, bis der Teig nicht mehr an den Händen klebt; kleine Kugeln formen und mit den Händen und Nudelhölzern ganz flach drücken, mit der Gabel Muster einstechen. Dann auf der heißen Fläche eines Raclettegerätes oder in einer Pfanne ohne Fett von beiden Seiten backen, bis sich an der Oberfläche braune Punkte bilden.

Mazzen könnt ihr auch abgepackt z.B. im Reformhaus kaufen.

Denk mal!

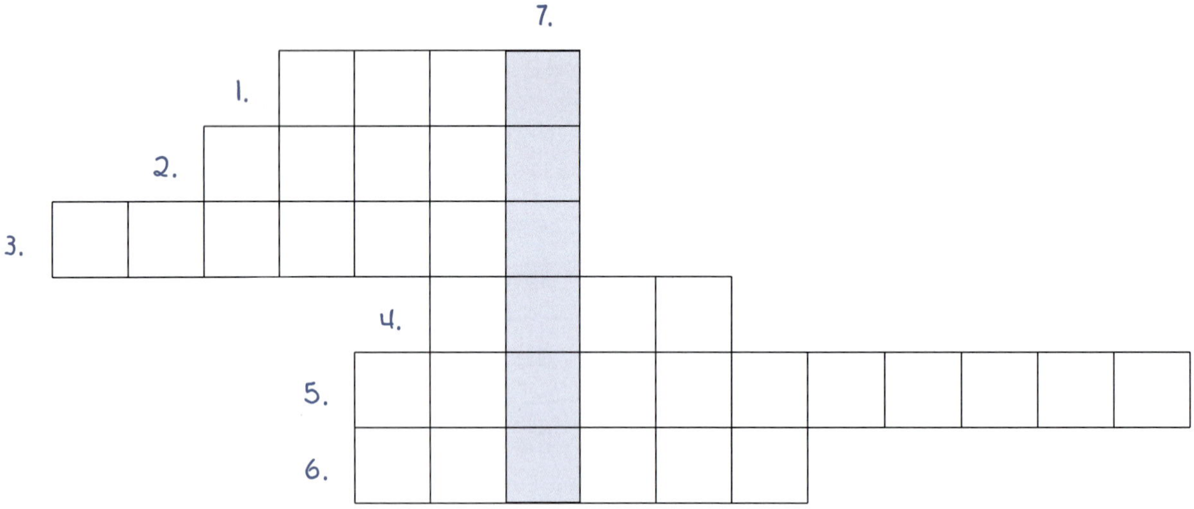

1. Welches Tier wird für das Paschafest geschlachtet?
2. Welchen Namen haben die Juden für Gott?
3. Wie heißt das Land der Pyramiden?
4. Wie heißt der Mann, der das Volk Israel in die Freiheit führte?
5. Was bedeutet »Pascha«?
6. Wie nannten die Ägypter ihren »Regierungschef«?
7. Wie heißt der siebenarmige Leuchter?

Lösungen: 1. Lamm, 2. Jahwe, 3. Ägypten, 4. Mose, 5. Vorübergang, 6. Pharao, 7. Menora

16. Die Eucharistiefeier

Santo, santo, santo

Traditionelles spanisches Kirchenlied

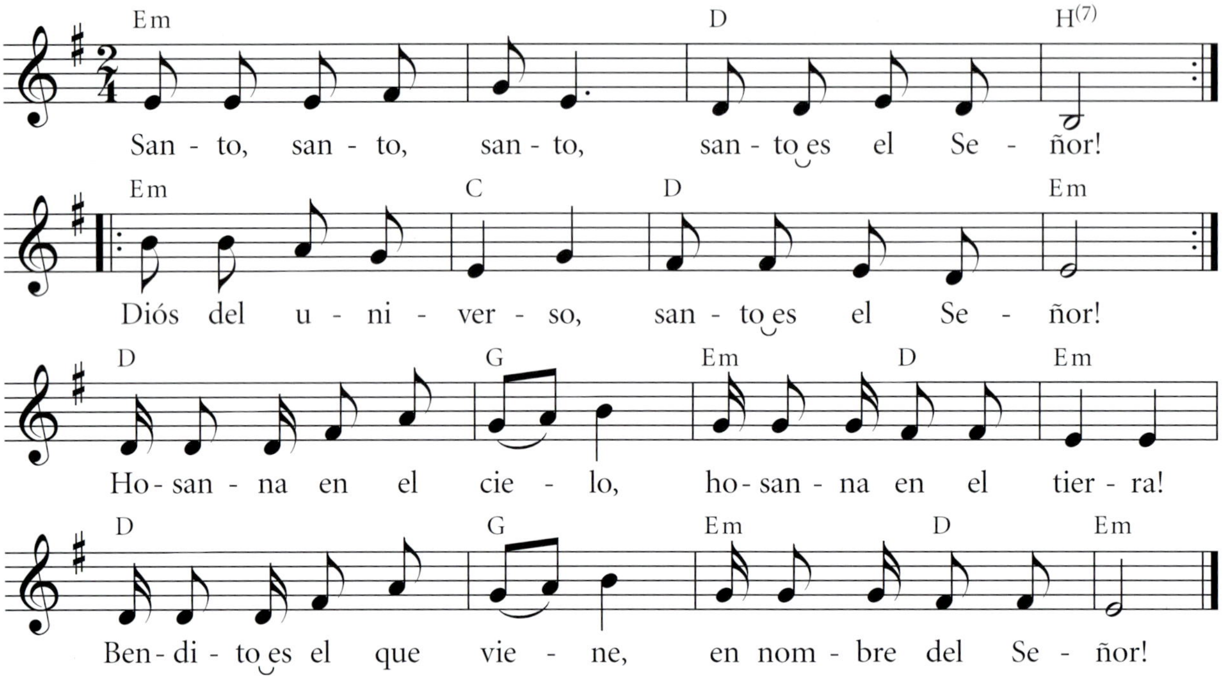

Übersetzung des spanischen Textes:
Heilig, heilig, heilig! Heilig ist der Herr. Der Gott des Universums, heilig ist der Herr.
Hosanna im Himmel, hosanna auf der Erde. Gesegnet sei, der da kommt im Namen des Herrn.

Die Geschichte vom kleinen Prinzen und der Rose

Es war einmal ein kleiner Prinz, der wohnte auf einem Planeten, der kaum größer war als er, und er brauchte einen Freund. So begab er sich auf die Reise und landete auf unserem Planeten Erde und wurde der Freund von Antoine de Saint-Exupery, der ein ganzes Buch über ihn schrieb ...

Auf dem Planeten des kleinen Prinzen wuchs eine Rose. Er hegte und pflegte sie und sprach mit ihr. Sie duftete und blühte nur für ihn. Sie war für ihn einmalig. Auf dem Planeten Erde kam der kleine Prinz zu einem Rosengarten.

»Guten Tag«, sagte der kleine Prinz.

»Guten Tag«, sagten die Rosen. Der kleine Prinz sah sie an. Sie glichen alle seiner Blume. »Wer seid ihr?«, fragte er sie höchst erstaunt. »Wir sind Rosen«, sagten die Rosen. »Ach!«, sagte der kleine Prinz ... Und er fühlte sich sehr unglücklich. Seine Blume hatte ihm erzählt, dass sie auf der ganzen Welt einzig in ihrer Art sei. Und siehe!, da waren fünftausend davon, alle gleich, in einem einzigen Garten!

Und er warf sich ins Gras und weinte. Aber nachdem er einen Fuchs kennen gelernt und jeden Tag mehr und mehr zum Freund gewonnen hatte, ging er noch einmal in den Rosengarten und sagte zu den Rosen:

»Ihr gleicht meiner Rose gar nicht. Ihr seid noch nichts. Ihr seid schön, aber ihr seid leer. Niemand hat sich euch vertraut gemacht, und ihr habt euch niemandem vertraut gemacht. Ihr seid, wie mein Fuchs war. Der war nichts als ein Fuchs wie hunderttausend andere. Aber ich habe ihn zu meinem Freund gemacht, und jetzt ist er einzig in der Welt.«

nach Antoine de Saint-Exupéry

Manche Dinge haben zwei Wirklichkeiten: eine sichtbare und eine unsichtbare. Der kleine Prinz sah in seiner Rose nicht nur eine Blume, sondern sie war für ihn ein Zeichen für ein Zuhause und für eine gute Freundschaft.
Das Brot in der heiligen Messe ist für uns nicht nur Brot, sondern Zeichen der Nähe Gottes.

Das letzte Abendmahl (nach Matthäus 26)

Jesus wollte mit seinen Jüngern das Paschafest in Jerusalem feiern. Er schickte Petrus und Johannes voraus, damit sie den Raum vorbereiteten und den Tisch festlich deckten. Jesus kam mit den anderen Jüngern nach und sie aßen zusammen das Paschamahl. An diesem Abend aber war es anders als sonst; denn während des Essens nahm Jesus das Brot, dankte Gott, brach das Brot und gab es seinen Jüngern mit den Worten: »Nehmt und esst, das ist mein Leib.«

Ebenso nahm er den Kelch, dankte und gab ihn seinen Jüngern mit den Worten: »Trinkt alle daraus! Das ist mein Blut, das Blut des Neuen Bundes, das für viele vergossen wird zur Vergebung der Sünden.« Dann sangen sie die Dankpsalmen und gingen hinaus zum Ölberg.

»Ich sehe was, das du nicht siehst«

»Man sieht nur mit dem Herzen gut.
Das Wesentliche ist für die Augen unsichtbar.«
Antoine de Saint Exupéry

Gestaltungsvorschlag: Bitte deine Eltern oder jemand anders, den du gern hast, hier die Geschichte eines Gegenstandes aufzuschreiben, der ihm sehr viel bedeutet.

17. Komm, wir finden einen Schatz – wir feiern miteinander die Messe

Viele, viele Kinder

Text und Melodie: Franz Kett
Religionspädagogische Praxis, Handreichung für elementare
Religionspädagogik, Jhg. 1994, Nr. III, »Es war einmal«

2. Viele, viele Kinder haben sich versammelt,
viele, viele Kinder schauen sich jetzt an.
Rechts schaut eines, links schaut eines
und daneben wieder eines, und so weiter und so weiter,
viele Kinder schauen sich jetzt an.

3. Viele, viele Kinder haben sich versammelt,
viele, viele Kinder geben sich die Hand.
Rechts gibt eines, links gibt eines,
und daneben wieder eines, und so weiter und so weiter,
viele Kinder geben sich die Hand.

Der Aufbau der Messe

Überall auf der Welt feiern die Christen Gottesdienst. In Brasilien wird er anders gestaltet als in Dortmund, in Afrika anders als in München. Aber das Wichtigste bleibt immer dasselbe und verbindet die Christen untereinander.

Der Besuch des Gottesdienstes, die Messe, ist wie der Besuch bei einem guten Freund.

Der Besuch bei deinem Freund	***Der Besuch der Messe***
Er begrüßt dich	*Eingangslied und Begrüßung*
Du kannst ihm sagen, was dich bedrückt, was nicht in Ordnung war.	*Kyrie*
Er kann sich mit dir freuen.	*Gloria*
Er hat dir viele Geschichten zu erzählen: Geschichten, die trösten, beflügeln, ermahnen, die dich nachdenklich machen, die einen Rat wissen, die manchmal rätselhaft bleiben.	*Lesung, Evangelium, Predigt*

Die Lesung braucht nicht immer aus der Bibel zu sein. Auch ein Märchen oder z.B. die folgende Geschichte kann als Lesung vorgelesen werden. Das Evangelium ist allerdings immer ein Abschnitt aus dem Neuen Testament, genauer: ein Text aus einem der vier Evangelien.

Die beiden Brüder auf dem Berg von Morija

Zwei Brüder wohnten einst auf dem Berg Morija. Der Jüngere war verheiratet und hatte zwei Kinder, der Ältere war unverheiratet und allein. Die beiden Brüder arbeiteten zusammen. Sie pflügten das Feld zusammen und streuten zusammen den Samen aus. Zur Zeit der Ernte brachten sie das Getreide ein und teilten die Garben in zwei gleich große Stöße, für jeden einen Stoß Garben. Als es Nacht geworden war, legte sich jeder der beiden Brüder bei seinen Garben nieder, um zu schlafen. Der Ältere aber konnte keine Ruhe finden und sprach in seinem Herzen: Mein Bruder hat eine Familie, ich dagegen bin allein und ohne Kinder und doch habe ich gleich viele Garben genommen wie er. Das ist nicht recht. Er stand auf und nahm von seinen Garben und schichtete sie heimlich und leise zu den Garben seines Bruders. Dann legte er sich wieder hin und schlief ein. In derselben Nacht nun, geraume Zeit später, erwachte der Jüngere. Auch er musste an seinen Bruder denken und sprach in seinem Herzen: Mein Bruder ist allein und hat keine Kinder. Wer wird in seinen alten Tagen für ihn sorgen?

Und er stand auf, nahm von seinen Garben und trug sie heimlich und leise hinüber zu dem Stoß des Älteren. Als es Tag wurde, erhoben sich die beiden Brüder, und beide waren sehr erstaunt, dass beide Garbenstöße so groß waren wie am Abend zuvor.

Aber keiner sagte zum anderen darüber ein Wort. In der zweiten Nacht wartete jeder ein Weilchen, bis er glaubte, dass der andere schliefe. Dann standen sie auf und jeder nahm von seinen Garben, um sie zum Stoß des anderen zu tragen. Auf halbem Wege trafen sie aufeinander und jeder erkannte, wie gut es der andere mit ihm meinte. Da ließen sie ihre Garben fallen und umarmten einander.

Gott im Himmel aber schaute auf sie und sprach: »Heilig sei mir dieser Ort. Hier will ich unter den Menschen wohnen.«

Aus Israel

Besitz und Reichtum sind nicht so wichtig für ein glückliches und gutes Leben: Das Wichtigste im Leben sind die Liebe und die Freundschaft. Ein solcher Schatz ist wie ein Stück vom Himmel. Kein Dieb kann ihn stehlen.
Das meint wohl auch der Evangelist Matthäus, wenn er vom »wahren Schatz« schreibt:

Vom wahren Schatz (nach Matthäus 6,19–22)

Sammelt euch nicht Schätze auf der Erde, wo Motten und Würmer sie zerstören und wo Diebe einbrechen und sie stehlen, sondern sammelt euch Schätze im Himmel, wo keine Motten und Würmer sie zerstören und keine Diebe einbrechen und sie stehlen. Denn wo dein Schatz ist, da ist auch dein Herz.

Dein Freund hat viele Kontakte. Er kennt alle Welt. Daher kannst du ihn gut um etwas bitten.	*Fürbitten*
Genug geredet!	***Ende des Wortgottesdienstes***
Zu einem Besuch gehört nicht nur das Gespräch, sondern auch Essen und Trinken. Darum deckt ihr den Tisch und esst miteinander.	*Hochgebet mit der Wandlung (die Geschichte vom letzten Abendmahl)* *Vaterunser* *Friedensgruß* *Kommunion*
Ihr deckt den Tisch ab.	***Ende der Eucharistiefeier***
Ihr verabschiedet euch und wünscht euch etwas Gutes: »Mach's gut!«	*Schlussgebet* *Segen*

18. Wir halten Rückschau

Schneide die Schuppen aus und klebe sie auf den großen Fisch des Stundenbildes.

Dankgottesdienst:

Die Emmausgeschichte

Eine freudige Nachricht

Text und Musik: Martin Gotthard Schneider

2. Erst war die Nachricht noch wie versteckt,
Drei oder vier, die haben's entdeckt
Und haben die Nachbarn aufgeschreckt.

3. Türen und Fenster rissen sie auf,
schrien's die Straße hinunter, hinauf
Und so nahm die Freude ihren Lauf.

4. Einer fragte den andern: »Du!
Hast du's gehört, was sagst du dazu?«
Und Hunderte, Tausende wussten's im Nu.

5. Das war ein Singen und Fröhlichsein
ein Klatschen und Tanzen und Ringelreihn,
und jeder fiel in den Jubel ein.

Eine gute Botschaft breitet sich aus: Jesus starb am Kreuz und wurde von seinen Freunden und Freundinnen begraben. Doch schon bald erfuhren sie, dass er auferstanden ist und lebt. Er erschien den Frauen, den Jüngern, dem ungläubigen Thomas und auch den zwei Freunden, die von Jerusalem nach Emmaus unterwegs waren.

Auf dem Weg nach Emmaus (nach Lukas 24,13–35)

Es war Abend geworden. Zwei Männer wanderten von Jerusalem zu dem kleinen Dorf Emmaus. Sie waren Freunde Jesu gewesen. Traurig gingen sie nebeneinander her und unterhielten sich. »Nun ist alles vorbei«, klagte der eine. »Jesus ist tot. Aber wir hatten gehofft, dass er unser König wird!« – »Ja!«, fiel der andere ein. »Warum musste Jesus nur sterben? Wir werden es nie begreifen.«

Als sie so redeten, holte ein Fremder sie ein. Erst bemerkten sie ihn gar nicht. Doch der Fremde sprach sie an: »Von wem redet ihr? Warum seid ihr so traurig?« Die beiden blieben stehen und sahen den Fremden erstaunt an. »Du weißt nicht, was in Jerusalem geschehen ist?« – »Was denn?«, fragte der Fremde.

Da fingen die beiden an zu erzählen: »Kennst du Jesus von Nazaret? Er wurde getötet und ans Kreuz gehängt wie ein Verbrecher. Er hat nur Gutes getan. Und wir hatten gehofft, er sei der Retter und werde unserem Volk helfen. Doch nun ist er tot, schon den dritten Tag. Aber stell dir vor: Heute Morgen kamen Frauen, die sagten uns: ›Jesus lebt! Sein Grab ist leer.‹ Doch wir wissen nicht, was wir davon halten sollen.«

»Ach, ihr!«, rief der Fremde. »Warum wollt ihr nicht glauben, was schon die Propheten vorausgesagt haben? Musste es nicht so geschehen? Wenn Jesus der Retter ist, musste er dann nicht leiden und sterben und auferstehen?« Und er erklärte ihnen alles, was in den Heiligen Schriften über den Retter stand.

Es war schon spät, als sie in Emmaus ankamen. Die Sonne ging bereits unter. Da nahm der Fremde Abschied und wollte weiterziehen. Aber die beiden drängten ihn und luden ihn ein: »Zieh bitte nicht weiter! Bleibe bei uns! Denn bald wird es Nacht.«

Da ging der Fremde mit in ihr Haus und setzte sich mit ihnen zu Tisch. Und er nahm das Brot, dankte Gott, brach es und gab es den beiden. Die aber starrten ihn an, mit aufgerissenen Augen. Mit einem Mal begriffen sie, wer da vor ihnen saß: Jesus war es, ihr Retter und Herr! Er lebte! »Jesus!«, wollten sie rufen. »Bist du es wirklich?« Aber da war Jesus nicht mehr zu sehen.

Die Freunde sahen sich betroffen an. »Wie ist das nur möglich?«, fragten sie sich. »Den ganzen Weg ging Jesus mit uns. Aber wir haben ihn nicht erkannt. Und doch! Wie ging uns das Herz auf, als er mit uns sprach und uns die Heilige Schrift erklärte!«

Da hielt es sie nicht mehr in ihrem Haus. Sie liefen noch am selben Abend nach Jerusalem zurück. Dort eilten sie zu dem Haus, wo die Jünger versammelt waren, klopften an die Tür und riefen: »Macht auf! Wir sind es, die Freunde aus Emmaus! Wir haben eine gute Nachricht für euch!« – »Wir auch«, riefen die Jünger ihnen entgegen. »Jesus ist auferstanden! Er ist Petrus erschienen.« – »Ja!«, fielen die beiden ein. »Er ist wahrhaftig auferstanden!« Und sie erzählten voll Freude, was sie auf dem Weg erlebt hatten und in ihrem Haus, als Jesus das Brot für sie gebrochen hatte.

Erinnerung an meine Erstkommunion

Meine Kommunionmesse:

(Platz zum Einkleben deines Messheftchens)